SFが読みたい！

発表！ベストSF2023
［国内篇・海外篇］

SFマガジン編集部編

2024年版

国内篇第1位　高野史緒インタビュウ

海外篇第1位　ジョン・スラデック特別企画

サブジャンル別ベスト10＆総括
【エッセイ】2024年のわたし

早川書房

CONTENTS

SFが読みたい！ 2024年版

表紙イラスト:今井哲也
表紙デザイン:岩郷重力+WONDER WORKZ。
本文デザイン:早川書房デザイン室+岩郷重力

サブジャンル別ベスト10＆総括

2024年のわたし

コミック

あの物語はいまどうなってるの？——人気大河シリーズの現在

このSFを読んでほしい！——SF出版各社2024年の刊行予定

BEST SF 2023【国内篇】

ベストSFの常連・高野史緒 ついに初の1位獲得！

順位	書名	著者	版元	得点
1	グラーフ・ツェッペリン あの夏の飛行船	高野史緒	ハヤカワ文庫JA	231点
2	わたしたちの怪獣	久永実木彦	創元日本SF叢書	196点
3	ときときチャンネル　宇宙飲んでみた	宮澤伊織	創元日本SF叢書	150点
4	走馬灯のセトリは考えておいて	柴田勝家	ハヤカワ文庫JA	140点
5	あなたは月面に倒れている	倉田タカシ	創元日本SF叢書	133点
6	禍《わざわい》	小田雅久仁	新潮社	125点
7	シュレーディンガーの少女	松崎有理	創元SF文庫	94点
8	回《かい》樹《じゅ》	斜線堂有紀	早川書房	87点
9	アナベル・アノマリー	谷口裕貴	徳間文庫	85点
10	AIとSF	日本SF作家クラブ=【編】	ハヤカワ文庫JA	73点

対象作品●奥付が2022年11月1日～2023年10月31日までの新作SF（周辺書も含む）。

発表！ベストSF2023【国内篇】

発表！ベストSF2023【海外篇】

BEST SF 2023【海外篇】

若き翻訳者の持ち込み企画
奇才スラデックが堂々首位

順位	作品	著者／訳者	出版社
1 228点	チク・タク・チク・タク・チク・タク・チク・タク・チク・タク・チク・タク・チク・タク・チク・タク・チク・タク・チク・タク	ジョン・スラデック／鯨井久志＝【訳】	竹書房文庫
2 187点	最後の三角形 ジェフリー・フォード短篇傑作選	ジェフリー・フォード／谷垣暁美＝【訳】	東京創元社
3 148点	ガーンズバック変換	陸 秋槎／阿井幸作，稲村文吾，大久保洋子＝【訳】	早川書房
4 145点	文明交錯	ローラン・ビネ／橘 明美＝【訳】	東京創元社
5 140点	美しき血 竜のグリオールシリーズ	ルーシャス・シェパード／内田昌之＝【訳】	竹書房文庫
6 113点	SFの気恥ずかしさ	トマス・M・ディッシュ／浅倉久志，小島はな＝【訳】	国書刊行会
7 112点	輝石の空	N・K・ジェミシン／小野田和子＝【訳】	創元SF文庫
8 105点	怪獣保護協会	ジョン・スコルジー／内田昌之＝【訳】	早川書房
9 98点	未来省	キム・スタンリー・ロビンスン／瀬尾具実子＝【訳】	パーソナルメディア
10 95点	時ありて	イアン・マクドナルド／下楠昌哉＝【訳】	早川書房

集計●「マイ・ベストSF」アンケート回答者（国内83名・海外・91名）の国内篇・海外篇それぞれのベスト5を、1位10点、2位9点、3位8点、4位7点、5位6点で集計。順不同の場合には、1位から5位までに均等に8点ずつを与えた。

BEST SF 2023

ベスト30作品ガイド

国内篇

香月祥宏

11	アブソルート・コールド	結城充考／早川書房	65点
12	ドードー鳥と孤独鳥	川端裕人／国書刊行会	63点
13	黄金蝶を追って	相川英輔／竹書房文庫	62点
14	奇病庭園	川野芽生／文藝春秋	61点
15	オーラリメイカー〔完全版〕	春暮康一／ハヤカワ文庫ＪＡ	59点
16	標本作家	小川楽喜／早川書房	58点
17	幽玄Ｆ	佐藤 究／河出書房新社	48点
18	最果ての泥徒《ゴーレム》	高丘哲次／新潮社	47点
19	本の背骨が最後に残る	斜線堂有紀／光文社	43点
20	仮面物語　或は鏡の王国の記	山尾悠子／国書刊行会	41点
21	私は命の縷々々々々々	青島もうじき／星海社	39点
22	祝福	高原英理／河出書房新社	35点
23	ありふれた金庫	北野勇作／ネコノス文庫	
	ウは宇宙ヤバイのウ！〔新版〕	宮澤伊織／ハヤカワ文庫ＪＡ	
	ダイダロス	塩崎ツトム／早川書房	32点
26	コスタ・コンコルディア　工作艦明石の孤独・外伝	林 譲治／ハヤカワ文庫ＪＡ	
	ＮＯＶＡ　２０２３年夏号	大森望＝【編】／河出文庫	31点
28	「これから何が起こるのか」を知るための教養　ＳＦ超入門	冬木糸一／ダイヤモンド社	
	ラウリ・クースクを探して	宮内悠介／朝日新聞出版	26点
30	ＳＦのＳは、ステキのＳ＋	池澤春菜／早川書房	
	時を追う者	佐々木譲／光文社	
	ＬＯＧ－ＷＯＲＬＤ	八杉将司／ＳＦユースティティア	25点

2023年ベスト総括

BEST SF 2023 国内篇

昨年度に続き、上位は接戦だった。最終的に混戦から頭ひとつ抜け出したのは、高野史緒の青春SF『グラーフ・ツェッペリン あの夏の飛行船』。当ランキングでは『赤い星』（二〇〇八年5位）、『カラマーゾフの妹』（一二年10位）、『まぜるな危険』（二一年4位）など実績十分の作者だが、今回は得意の歴史改変要素に加えて、舞台を作者の生まれ故郷である茨城県土浦市に設定。十七歳同士の不思議なボーイ・ミーツ・ガールを描く瑞々しい作品で、初の1位を獲得した。

そして2位以下には、10位までずらりと短篇集（連作も含む）、アンソロジーが並ぶ。短篇優位はここ数年続いており、二〇二一年にはベストテン中七作を数えて「初めてのこと」と書いたが、その記録も更新した。

そんな短篇集の中でも一番人気だったのが、2位の久永実木彦『わたしたちの怪獣』。表題作は雑誌掲載時に単独の短篇として初の日本SF大賞候補に挙がるなど話題になり、ランキングでも前著『七十四秒の旋律と孤独』の5位（二〇二一）を上回った。

続く3位は、宮澤伊織によるマッドサイエンティストものの生配信風連作『ときときチャンネル 宇宙飲んでみた』。作者としても『裏世界ピクニック ふたりの怪異探検ファイル』（二〇一七）の7位を更新する自己最高位だ。

さらに4位を見ると柴田勝家『走馬灯のセトリは考えておいて』、5位には倉田タカシ『あなたは月面に倒れている』が僅差で迫っており、2〜5位を創元・ハヤカワのSF新人賞を通過してきた作家で争う形になった。さらに7位の松崎有理、15位の春暮康一も含めて、両コンテストの受賞者・候補者らが現在の日本SFを支える中心的存在になっていることがうかがえる。新たにハヤカワSFコンテストからデビューした二人も、小川楽喜が『標本作家』で16位、塩崎ツトムは『ダイダロス』で23位に入った。

一方で、SF新人賞以外のルートからのランクイン作家も要注目。8位に『回樹』、19位に『本の背骨が最後に残る』と二冊の短篇集が入った斜線堂有紀は、電撃小説大賞出身。ミステリを中心に活躍してきたが、今やSFやホラーのアンソロジーには欠かせない存在になっている。13位『黄金蝶を追って』の相川英輔は、複数の地方文学賞を受賞、短篇が英訳されるなどして頭角を現した作家だ。14位『奇病庭園』の川野芽生は、歌人として活躍しながら小説も発表している。〈すばる〉掲載の「Blue」は芥川賞候補になった。21位『私は命の縷々々々々』の青島もうじきは、一昨年1位となったアンソロジー『異常論文』の公募枠からデビュー。昨年の当欄ではアンソロジーの寄稿者に新顔が増えていると書いたが、今年はそうした場で力を蓄えた作家たちが単著で実力を発揮し始めた。

また本年の特徴として、復刊や新版のランクインが挙げられる。文庫化や復刊は通常候補に含まれないが、15位『オーラリメイカー〔完全版〕』は大幅改稿に書き下ろし新作を加えたその名の通り完全版、20位『仮面物語 或は鏡の王国の記』は著者によって四十年以上に亘る封印を解かれた待望の復刊、23位『ウは宇宙ヤバイのウ！〔新版〕』も同じく幻の初期作の復刊かつ主人公の性別変更——と、それぞれ今改めて評価したい特別な点にスポットが当たった。

ウェブや電子書籍などの動きについても近年は毎年触れているが、今年新たに登場したのは、30位の八杉将司『LOG-WORLD』を出したSFユースティティア。今後もオンデマンドと電子書籍を併用しながら、ジャンルSFに限らず優れたスペキュラティヴ・フィクションを出版して行くという。また、以前も紹介したオンラインSF誌〈Kaguya Planet〉は、季刊の新たなSF誌を紙と電子で準備中とのこと。電子書籍レーベル《anon press》も、青島もうじき、長谷川京らのSF短篇集を刊行した。こうしたSF出版のさまざまな広がりにも引き続き期待したい。

BEST SF 2023
第1位
グラーフ・ツェッペリン あの夏の飛行船
高野史緒
ハヤカワ文庫ＪＡ

飛行船の思い出が少年と少女を繋ぐ青春ＳＦ 異なる歴史をもつ現代日本の姿を交互に描く

二〇二一年の夏、茨城県土浦市の高校生・藤沢夏紀《なつき》は、幼い日のことを思い出していた。きっかけは教師の雑談だった。一九二九年、飛行船グラーフ・ツェッペリン号が土浦に立ち寄り、爆発炎上したという。百年近く前の出来事なのに、夏紀にはなぜか亀城《きじょう》公園で飛行船を見た記憶があった。そのとき一緒にいた少年の名は、トシオだ。

飛び級で大学に通う十七歳の北田登志夫《としお》は、土浦にある光量子コンピュータ・センターで夏休みのアルバイトをすることになった。バイト帰りに亀城公園に立ち寄り、そこで飛行船を見たことを思い出す――「グラーフ・ツェッペリン号だ！」。あの時そばにいた女の子は、確か、ナツキという名前だった。

夏紀と登志夫のパートを往来しながら物語は進む。しかし両者の世界は異なる歴史を持つようで、前者ではソ連が存続しインターネットは黎明期だが月に基地ができており、後者の側では量子コンピュータが実現しているのに宇宙開発は進んでいない。少しズレた二つの現実がディテール豊かに描かれる。時空を超えた出会いの楔となるのは、飛行船の思い出。失われた技術の記憶が作者の故郷・土浦の景色と相まって、独特の郷愁を醸し出す。二つの世界を架橋するＳＦ的な仕掛けと語りの技巧も見事。青春ＳＦの傑作だ。

BEST SF 2023
第2位
わたしたちの怪獣
久永実木彦
創元日本ＳＦ叢書

父の死体を棄てるため、怪獣の暴れる東京へ 世界との軋轢を生きる人々の想いをすくう

書き下ろし二篇を含む全四篇を収録した、著者にとって二冊目の単著となる短篇集だ。

表題作の語り手は、埼玉県に住む高校生つかさ。運転免許取りたての彼女は、自宅で父の死体を発見する。殺したのは、父から理不尽な暴力を振るわれていた妹だった。そのときテレビが告げる――〈東京湾に怪獣が出現しました〉。ということは、いま東京に死体を棄てれば、父の死＝妹の罪は怪獣の被害に紛れてしまうはず。つかさは父の車に死体を積み、混乱する東京へ向かうが……。怪獣は、暴力的な父とそれを見過ごしてきた語り手を象徴する存在でありながら、社会的にリアルな脅威でもある。個の心理と公の状況を巧みに描き分け、切実な想いを社会に接続してゆく。

他に、過去改変が容易になり事故や災害の被害者が激減した未来「ぴぴぴ・ぴっぴぴ」、吸血鬼になりたい少女が実際に吸血鬼めいた男と出会う「夜の安らぎ」、Ｚ級映画の上映中に街をゾンビが闊歩し始める「『アタック・オブ・ザ・キラートマト』を観ながら」の三篇を収録。いずれも真っ当な世界や平穏な日常を攪乱する存在に、あえて関わろうとする人々に焦点を当てる。世界との間で軋みを上げながら日々を生きる〝わたしたち〟の想いを掬う／救う物語が、ここにはある。

BEST SF 2023

第3位

ときときチャンネル　宇宙飲んでみた

宮澤伊織

創元日本SF叢書

生活力皆無な天才科学者の発明品をお届け！　軽快かつ贅沢な配信型ドタバタSFコメディ

十時《とき》さくらは、天才科学者・多田羅《たたら》未貴《みき》と同居している。でも残念ながら、多田羅さんには生活力が皆無。そうだ、多田羅さんが作っている怪しげな発明品を紹介する動画配信で生活費を稼ごう！　というわけで開設されたのが『ときときチャンネル』。その配信初回～六回までを描いた全六篇が収められている。文章は、配信者二人の会話＋視聴者コメントだけ。配信を見るように軽快なテンポで読むことができる一冊だ。

読み味こそ軽いが、扱う中身はいずれもハード。「宇宙飲んでみた」では掬ってマグカップに汲んだ〈宇宙〉を飲んで食レポし、「時間飼ってみた」では〈時間を結晶化したやつ〉に名前をつけて飼い始め、「近所の異世界散歩してみた」では存在の蓋然性の波長を変えて並行世界の画像と差し替えることでリアルタイム画像処理を実現する。とんでもない発明の源泉は〈超越的な知性が通信手段として使ってる超高次元の粒子間ネットワーク〉である《インターネット3》らしいのだが……。

形式としては、博士と助手ものの伝統を継ぐドタバタSFコメディ。そこに宇宙に時間に並行世界と現代SFで人気のネタを贅沢に盛って、ほんのり百合の風味も香る、注目のSF生配信短篇集だ。ぜひ、チャンネル登録と高評価を！

BEST SF 2023

第4位

走馬灯のセトリは考えておいて

柴田勝家

ハヤカワ文庫JA

ドラマ化でも話題、終活＋アイドルSFの表題作ほか信仰と想像力をめぐる全六篇

『世にも奇妙な物語』で映像化され話題になった表題作をはじめ、全六篇から成る短篇集。その表題作の語り手は人生造形師《ライフキャスター》と呼ばれ、故人のライフログをもとに死後も遺族とコミュニケーション可能なAIを作成している。新たに舞い込んだ依頼は、五十年ほど前に活躍したバーチャルアイドル、黄昏《たそがれ》キエラの〝中の人〟からだった。キエラのライフキャストを作り、葬式の代わりにラストライブを開きたいというのだが……。バーチャルアイドルを扱った作品は数多いが、その現世からの卒業＝葬送という目のつけどころが際立つ。死という避けられないイベントに焦点を当て、技術の進歩によって変わるものと変わらないものを浮き彫りにし、さらに変わりながら残るものもすくい上げて、丸ごと愛でる。民俗学とアイドル文化に通じた作者ならではの眼差しで描かれた、終活＋アイドルSFだ。

その他に、十日戎《とおかえびす》の福男選び競走がオンラインに移行し意外な方向に発展して行く「オンライン福男」、生命絶滅後の地球で人類っぽく暮らす異星種「絶滅の作法」、「クランツマンの秘仏」「火星環境下における宗教性原虫の適応と分布」の〝異常論文〟二題、理不尽クソゲーのリプレイを小説に仕立てた「姫日記」を収録。近年の作者の充実ぶりを示す一冊だ。

BEST SF 2023

第5位

あなたは月面に倒れている

倉田タカシ

創元日本SF叢書

意表を突く発想と詩情、現代的な問題意識
シンギュラリティから宇宙まで多彩な九篇

〈一冊にまとまれば、二〇二〇年代日本SFを代表する作品集になるはず〉（伴名練）と待望されていた、著者初の短篇集。随所に過去のSFの影響を感じさせながらも、単なるオマージュに留まらない魅力に溢れた全九篇から成る。

「二本の足で」の未来では、スパム広告が人間の姿をとって直接話しかけてくる。ボットが語る虚ろな想い出はなぜか鮮やかな色彩を帯び、妙に可笑しくて不穏だ。背景には、シンギュラリティや移民の問題を巧みに織り込む。「トーキョーを食べて育った」は、核戦争によって荒廃し今は巨大機械がうごめく東京に住む子どもたちを描いた一篇。ジュヴナイル風の語り口の中に、核をめぐる巧妙な歴史改変と鋭い批評性が潜む。他にも「あなたは月面に倒れている」という一文から何者かとの対話が始まり怒濤の質問の中で人類と宇宙の歴史が語られる表題作、寿命が延びて（なんとなく）人語を解するようになった猫たちとの交流を描く「おうち」、渦巻き状の文章が分岐してどちらにも読み進められるタイポグラフィ小説「夕暮にゆうくりなき声満ちて風」など、多彩な作品を収録。いずれもSFならではの意表を突く発想に始まり、軽快な文章に導かれるうちに、詩情と現代的な問題意識が浮かび上がってくる。

BEST SF 2023

第6位

禍《わざわい》

小田雅久仁

新潮社

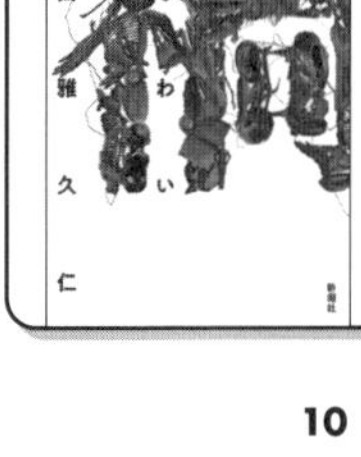

日本SF大賞作家による身体テーマの奇譚集
非日常へ踏み込んで、踏み抜くような幻視力

二〇二二年発表の月を扱った中篇集『残月記』で日本SF大賞と吉川英治文学新人賞をW受賞、当ランキングでも三位に入った著者による、全七篇から成る怪奇幻想小説短篇集。今回は〝身体の一部〟をテーマにした作品が収められている。

巻頭に置かれた「食書」では、スランプ気味の作家が多目的トイレで本を食べている女と出会う。「絶対に食べちゃ駄目よ！」「もう引き返せないからね」――女はそう告げるのだが……。作者自身と重なるような語り手のリアルな内面描写から、本を食べるという非日常へ踏み込んで、最終的にはその非日常さえも踏み抜く危険な一作だ。この他にも、痩せ型が好みだと思っていた男がバスで太った女と隣り合ったのをきっかけに肉の虜になってしまう「柔らかなところへ帰る」、毛髪という人体でも異質なパーツの不気味さを極限まで引き出した「髪禍」など、どこか背徳的だが目を逸らせない、暗く怪しい雰囲気が全篇に横溢している。全体を通して、大きな破局というよりねじれた幸福のようなところに落ち着く話が多いのも、より後ろめたさをかき立てる。読み終わったあとには、一番身近……というかまさに〝身〟そのものである自分の身体にさえ不穏なものを感じてしまう、強烈な幻視力を孕んだ作品集だ。

BEST SF 2023

第7位

シュレーディンガーの少女

松崎有理

創元ＳＦ文庫

理系的発想とユーモアの際立つ思考実験　さまざまなディストピア×ガールの短篇集

〝ディストピア×ガール〟（あとがきより）をコンセプトに、さまざまな絶望に満ちた世界を舞台に女性主人公が活躍する作品を集めた短篇集だ。

　六十五歳で死ぬことが義務付けられた社会で余命一年の主人公が少女を養子に迎えてしまう痛快な年の差バディもの「六十五歳デス」、ＢＭＩ高めの参加者を集めて行われる政府主催のデスゲーム「太っていたらだめですか?」、数学嫌いの高校生が数学禁止世界に飛ばされる「異世界数学」など全六篇を収録している。寿命や健康が管理される社会に異世界転生と設定は珍しくないが、いずれもアイデアと物語のひねり具合が絶妙だ。松崎作品らしい理系的発想をベースにした奇想に飄々としたユーモアの隠し味が利いており、権力や状況に流されず決断を下す主人公たちの格好良さが際立つ。とくにＳＦとして読み応えがあるのは表題作だろう。軸になるのは、Ｚと呼ばれる致死性ウイルスのパンデミック渦中にある世界の少女と、彼女を守る使命を与えられたフレンドＡＩの物語。ディストピア×ガールの形式に沿いつつ、その外側の枠を巧みに使い〝シュレーディンガーの猫〟をさらに推し進めた過激な〝量子自殺〟について考察する。読み進むうちに、読者をも巻き込む思考実験が展開されてゆく快作だ。

BEST SF 2023

第8位

回樹《かいじゅ》

斜線堂有紀

早川書房

故人への愛を転化させる巨大人型樹木とは?　新たな技術が生み出す、新たな痛みと葬送

ミステリを中心に活躍してきた著者による、初のＳＦ短篇集。全六篇を収録している。

　表題作と書き下ろしの「回祭」は、秋田県にとつぜん現れた謎の巨大人型物体をめぐる物語だ。〝回樹〟と名付けられた物体には、近くにある死体を吸収する働きがあった。愛する者を失った人は、回樹に遺体を取り込ませることで、故人への愛を回樹への愛に転化させる。この奇妙な葬送の形から生まれる、複雑な愛憎劇が読みどころ。「奈辺」は、黒人差別が当たり前の十八世紀アメリカに緑の肌の異星人が不時着、黒人お断りの酒場に現れて騒動を巻き起こす。ＳＦ的な発想を生かしてシリアスなテーマを軽快に、しかし鋭く描き出した作品だ。この他に、骨にレントゲンでしか読み取れない文字を刻む技術がやがて文化的な意味を持ち始める「骨刻」、ある理由によって上映から百年経った映画が永遠にこの世から葬り去られるという奇想映画小説「ＢＴＴＦ葬送」、死体が腐敗しなくなり宇宙葬が発展する「不滅」を収録。いずれも新たな技術や発見が生み出す、新たな痛みと葬送を描く。特殊設定ミステリを得意としてきた著者が、設定の奇抜さはそのままに、謎解きではなく個人や社会の在り方に焦点を当てることで、ＳＦ作家としても存在感を発揮し始めた。

BEST SF 2023

第9位

アナベル・アノマリー

谷口裕貴

徳間文庫

約二十年ぶりの新刊は高密度の超能力ＳＦ
異能の少女を通して染み出す世界の不条理

　著者にとって約二十年ぶりとなる新刊は、悪夢的なイメージが横溢する高密度の超能力ＳＦだ。超能力者を人為的に作り出す研究が、アナベルという名の怪物を生んでしまう。この十二歳の少女は、あらゆる物質を脈絡なく変容させる制御不能の力を持っていた。あまりに危険なこの力を葬るため、研究者たちはアナベルを撲殺する。しかし少女の呪いは世界に残り、彼女《アナベル》に縁のある事物《アナロジー》（アナベルという名前、はちみつ色のテディベア、メッツの野球帽……）を依り代として各地に現れては、超能力災害を引き起こす。新たに設立された対策機関は、アナベル出現の度に六人の能力者を束ねた複合人格Ｓｉｘを派遣、周囲の人々を巻き込みつつ殺害するが、異常事態《アノマリー》は収まらない。次にアナベルが現れるのはどこか――そんな少女の呪いに覆われた世界が舞台の連作四篇から成っている。いずれも、アナベルとＳｉｘの対決を描く単純な物語ではない。むしろ巻き込まれる市井の人々や、背後で暗躍する組織の思惑に焦点が当てられる。漂白されてしまいがちな世界の不条理が異能の少女を通して現実に染み出してくる、時を経ても衰えない衝撃力を持つ作品だ。伴名練による巻末解説も、作者の経歴はもちろん、ゼロ年代日本ＳＦ出版史を概説する労作で見逃せない。

BEST SF 2023

第10位

ＡＩとＳＦ

日本ＳＦ作家クラブ編

ハヤカワ文庫ＪＡ

いま旬のテーマに二十二人の作家たちが挑む
最前線で未来を考えるためのアンソロジー

　日本ＳＦ作家クラブ編の書き下ろしアンソロジー第三弾。今がまさに旬のテーマに、二十二人の作家が挑む。

　長谷敏司「準備がいつまで経っても終わらない件」は、大阪万博に絡めて、ChatGPTから汎用人工知能までを一気に駆け抜ける。現実に振り切られないようコミカルかつ高速でぶっ飛ばす、巻頭に相応しい一作だ。他にも、亡き恋人／妻のデータから人格を再構成する話で表裏となる人間六度「ＡＩになったさやか」と品田遊「ゴッド・ブレス・ユー」、ＡＩと心についての対話に森鷗外の同題短篇を絡めた菅浩江「覚悟の一句」など、対話型ＡＩを中心に据えた力作が揃う。何故か動作を止めてしまった仏師ＡＩとの問答から成る飛浩隆「作麼生《そもさん》の鑿《のみ》」、平安の仏師が画像生成ＡＩ的な妖《あやかし》を利用する野﨑まど「智慧練糸」、金剛力士と不動明王がバトルする竹田人造「月下組討仏師」と、ＡＩと仏教思想は相性が良いのか、仏師ＳＦが三篇入っているのもおもしろい。その他に、高山羽根子、安野貴博、野尻抱介、十三不塔、円城塔らが参加。ベテランから若手まで、持ち味を生かした作品が並ぶ。最新の解説書でさえも日々古くなっていく分野だが、作家たちが物語としての強度を付与した本書は、最前線で未来を考える手がかりになるだろう。

BEST SF 2023

第11位

アブソルート・コールド

結城充考

早川書房

企業が支配する都市でのテロ事件 サイバーパンクの魅力満載な長篇

警察小説などで知られる作者による、『躯体上の翼』（二〇一三年）以来の本格SF長篇。帯にも謳われているが、サイバーパンク、中でもギブスンの《スプロール三部作》の影響が色濃く見て取れる。

舞台は、生命工学・情報技術を一手に握る大企業が実質支配する都市。その本社ビルで、大規模なテロが発生する。若手刑事の来未《クルミ》由《ヨシ》は、死者の記憶にアクセスできる装置アブソルート・ブラック・インターフェイス・デバイスへの適性を見出され捜査に参加するが……。ここに、ビルの屋上で暮らす準市民の少女コチと、病気の娘を抱えた元警官・尾藤《ビトー》が絡んで物語は進む。ルビを多用したスピード感あふれる文体、猥雑な都市から電脳空間までを駆け抜けるアクション、随所に往年のサイバーパンクに通じる魅力がちりばめられた一作だ。

BEST SF 2023

第12位

ドードー鳥と孤独鳥

川端裕人

国書刊行会

絶滅動物の抱える歴史と奥深さを 少女たちの成長とともに描く

動物好きの小学生・環《たまき》と景那《けいな》は、自分たちをドードー鳥と孤独鳥《ソリテア》という絶滅種に重ね合わせていた。不器用な環は滑稽なドードー、人と交わらない景那は孤独鳥。自然豊かな土地で友情を育んだ二人はやがて疎遠になるが、長じて環は科学部の新聞記者になる。再び絶滅動物をめぐる最新の研究を追いかけ始めるが……。絶滅という現象すら理解されていなかった十七世紀から、人の影響で起きた近代の絶滅、最新の脱絶滅研究まで〝絶滅〟の持つ歴史や奥深さが、少女たちの成長・友情の変遷とともに丁寧に描かれてゆく。豊富に収められた図版も見応えあり。同じ題材で書かれたノンフィクション『ドードーをめぐる堂々めぐり』（岩波書店）と併読すると、より理解が深まる。虚実を股にかけて活躍する著者の取材力が存分に生かされた作品だ。

BEST SF 2023

第13位

黄金蝶を追って

相川英輔

竹書房文庫

国内外に活躍の場を広げる著者の SF的な奇想が光る短篇集

坊っちゃん文学賞など地方文学賞を複数回受賞、着実に活躍の場を広げてきた著者による、全六篇から成る短篇集。不採算店に左遷されたコンビニ店長と店舗管理AIの交流を描く「星は沈まない」、それとリンクする遠未来の植民惑星の話「シュン＝カン」、日曜日の翌日になぜか自分だけ余分な一日を与えられた水泳選手の情熱と憂鬱「日曜日はいつも」、中学の同級生に魔法の鉛筆をもらったデザイナーの半生を一九六〇年代の世相を背景に描く表題作など、いずれもSF的な奇想が導入されているが、アイデアを活かすディテールの濃《こま》やかさが不思議な物語を根本で支えている。購入した中古マンションに前の住人の残像らしきものが見える異色の幽霊譚「ハミングバード」は、英訳され好評を博し〈ローカス〉誌にもレビューが掲載された。

BEST SF 2023
第14位

奇病庭園

川野芽生
文藝春秋

“奇病”で失われたものとは鋭い幻想が絡み合う精妙な世界

人に本来あった角や翼や鉤爪は“奇病”によって失われた。しかし病んだ者たちを集めた庭から、突如として再びそれらを備えた者が生まれ始めた――というところから始まる幻想小説。若い写字生は美術品として愛でられていた角の生えた老女の首を持って旅立ち、妊婦たちは翼を生やして空から赤子を産み落とす。森に落ちた子は鉤爪を持つ世捨て人たちの手で傷つけられぬよう育てられ、池に落ちた子は老女の頭部を抱えた若い旅人に拾われる。やがて世捨て人を狩る街の者たちの間で土産品として鉤爪が流行し……と、三十あまりのエピソードが複雑に絡まり合いながら進んでゆく。角や牙に象徴されるように、鈍く“病んだ世界”が見失った鋭さが随所に仕込まれており、現実を撃つ力を持った、精妙かつ堅牢な世界を作り上げている。

BEST SF 2023
第15位

オーラリメイカー〔完全版〕

春暮康一
ハヤカワ文庫ＪＡ

『法治の獣』著者のデビュー作改稿&書き下ろし追加の決定版

昨年度の国内篇1位を獲得した『法治の獣』の著者による、デビュー短篇集の完全版。ハードカバー版収録の表題作及び「虹色の蛇」を大幅改稿、さらに書き下ろし一篇と、本書及び『法治の獣』収録作が属する《系外進出《インフレーション》》シリーズの用語集、著者による作品ノート、林譲治の解説を加えた決定版になっている。

書き下ろしの「滅亡に至る病」では、太陽系人類《ソラリアン》の外交官が〈連　合《アライアンス》〉の一員に勧誘しようとした種族が、自らの滅びをほのめかす――「わたしたちを滅ぼすものは、太古からの呪いです」。十分な知性を持っているはずの種族がとらわれている呪いとは？　ミステリタッチで描かれる、不穏なファーストコンタクト。奇妙な生物の生態をめぐる謎が生命倫理に関する問いかけと絡む、読み応え十分の一篇だ。

BEST SF 2023
第16位

標本作家

小川楽喜
早川書房

第十回ＳＦコンテスト大賞受賞作人類滅亡後の作家たちの物語

第十回ハヤカワＳＦコンテストの大賞受賞作。人類が滅んだ遠い未来を舞台に、書く／読むことについて大胆な設定で力強く描かれた、壮大な物語だ。

西暦八十万二千七百年、地球を治める知性体〈玲伎種《れいきしゅ》〉は、人類の芸術を保存するため、恋愛・ＳＦ・児童文学・ミステリー・ホラーなど各ジャンルを代表する作家〈文人十傑〉を標本として不死固定化。〈異才混淆《いさいこんこう》〉という特殊な共作形式で、小説を書き続けさせていた。しかしいつまで経っても満足な作品は完成しない。原稿をまとめる〈巡稿者《じゅんこうしゃ》〉は、共作の解除を提案するが……。〈文人十傑〉にはそれぞれモデルとなった作家がおり、次々と標本作家たちが紹介される序盤は異色ビブリオ小説の趣。そして作家たちの想像／創造物が具体化してゆく終盤は壮観だ。

BEST SF 2023
第17位

幽玄F

佐藤究
河出書房新社

飛行機に取り憑かれた男の半生と護国の重力

幼少期から飛行機に惹かれ続けた易永透《やすながとおる》は、高校生の頃にパイロットを志し、やがて航空自衛隊に入隊。訓練でF‐35Bに搭乗するなど、戦闘機乗りとして遺憾なく才能を発揮する。詳細に書き込まれたメカ描写と飛行機に取り憑かれた男の半生は、そのまま《戦闘妖精・雪風》の世界につながりそうな質感だ。しかし自衛隊での出世が護国という重力を生み、徐々に透を縛り始める。そして物語は中盤に意外な機動を見せ、序盤から仄めかされていた三島由紀夫作品の影と、まさに空中戦めいた緊張感の中でせめぎ合う。これまでにない読み味の三島オマージュであり戦闘機小説だ。

BEST SF 2023
第18位

最果ての泥徒《ゴーレム》

高丘哲次
新潮社

動く泥人形をめぐる改変歴史と異種バディ

二十世紀初頭、動く泥人形〈泥徒《ゴーレム》〉が労働力として使われるようになった世界を描く改変歴史小説。東欧の名家の娘マヤが泥徒創造者としての道を歩み始めた矢先、父が何者かに殺されてしまう。しかも、代々受け継いできた泥徒製造の要〈原初の礎版《ピエルボトニ・ポドスタベク》〉十種のうち三種が持ち去られていた。これを奪回するため、姿を消した父の弟子たちを追って、マヤは自作の泥徒スタルィを伴い世界をめぐる旅に出る。文化的背景とも密接に絡みつつ、時代の趨勢に応じて泥徒技術が各国で独自の進化を遂げてゆくところがユニークだ。人間と泥徒の異種バディものとしてもおもしろい。

BEST SF 2023
第19位

本の背骨が最後に残る

斜線堂有紀
光文社

人が本になる国で――痛みと喪失の怪奇幻想

《異形コレクション》掲載作を中心に全七篇を収めた短篇集。表題作と書き下ろしの「本は背骨が最初に形成《でき》る」は、紙の代わりに人が本の役割を務める奇妙な国が舞台だ。題名が同じ本＝人の内容が異なる時は〈版重ね〉という討論によって正しい物語を決め、負けた本は火炙りになる。盲目の本・十《とお》は一度も負けたことがないのだが……。その他に、VR空間で行われる残虐な狩り「ドッペルイェーガー」、特殊な器具で他人の痛みを引き受ける女性を描く「痛妃婚姻譚」などを収録。『回樹』より怪奇幻想寄りの作品が多いが、痛みや喪失をモチーフとする持ち味は健在だ。

BEST SF 2023
第20位

仮面物語
或は鏡の王国の記

山尾悠子
国書刊行会

四十年の時を経て復刊幻惑的に輝く初期長篇

著者によって約四十年封印されていた長篇が復刊された。

善助は、死に瀕した人間の姿を彫刻し、葬儀用に供することを生業としている。放浪生活を送る彼が訪れた鏡市には〈影盗み伝説〉なるものがあった。影盗みは、人の心をじかに映しだした〈たましいの顔〉を粘土で造形することができるという。しかし、自身の真実の顔を直視することに耐えられる者などいない。善助にはその〈影盗み〉の才があるかもしれず……。吸血虫、ゴオレム、仮面、自動人形、結晶虫、スピンクスなど、さまざまな要素が幻惑的に横溢する、初期作ならではの輝きと勢いを持つ作品だ。

BEST SF 2023 第21位

私は命の縷々々々々

青島もうじき
星海社

他生物の生殖システムを人間に導入するようになった未来。幼生で性別未分化のドウケツエビの特性を持つセイは、間もなく自分の性別を選ばねばならず……。〝選び増えることが倫理的〟という規範に疑問を投げかける、思弁×青春SF。

BEST SF 2023 第22位

祝福

高原英理
河出書房新社

〈ナイトランド・クォータリー〉掲載の《精霊語彙集》などから成る短篇集。リストカットを繰り返す高校生の心情が硬質な想像力と結びつく「リスカ」から古語の響きが幻想へ誘う「帝命定まらず」まで、全九篇がゆるやかにつながる。

BEST SF 2023 第23位

ありふれた金庫

北野勇作
ネコノス文庫

『納戸のスナイパー』『ねこラジオ』とともに《シリーズ百字劇場》と銘打たれたマイクロノベル集。ほぼ百字で綴られた作品から、一瞬で奥行きのある人物像や景色が立ち上がる。SF的な広がりを感じさせるものも多数収録。

BEST SF 2023 第23位

ウは宇宙ヤバイのウ！〔新版〕

宮澤伊織
ハヤカワ文庫JA

幻の初期作が復活。州《す》谷《たに》州《す》わふれむ、コードウェイナー菫《すみれ》などSF小ネタはそのままに、主人公が女性に変更されている。異星人襲来に時間遡行に世界線混乱にと全部載せで宇宙に危機が迫る、とにかくヤバい百合SFとして再誕した。

BEST SF 2023 第23位

ダイダロス

塩崎ツトム
早川書房

第十回ハヤカワSFコンテスト特別賞受賞作。ユダヤ人文化人類学者のアマゾン探検行に、ナチ残党による秘密研究や日系移民のカチグミ／マケグミ問題が絡む。混沌とした秘境探検小説が、SF的な仕掛けで現代の陰謀論にも接続される。

BEST SF 2023 第26位

コスタ・コンコルディア 工作艦明石の孤独・外伝

林 譲治
ハヤカワ文庫JA

ワープ事故のため、三千年の時間差を経て人類が同じ星に植民してしまったら……というアイデアを、ミステリ的な発端から文明論へ広げながら語る。全四巻で完結した本篇も『司政官』風の読み味に壮大な仕掛けを組み合わせた快作だ。

BEST SF 2023 第26位

NOVA 2023年夏号

大森望＝【編】
河出文庫

通算十六冊目となる書き下ろしオリジナル・アンソロジー・シリーズの最新刊。十三人の寄稿者全員が女性作家というのが最大の特徴だ。テーマはとくに限定されておらず、時代SF、動物SF、時間ループものなど、多彩な作品が揃う。

BEST SF 2023 第28位

「これから何が起こるのか」を知るための教養 SF超入門

冬木糸一
ダイヤモンド社

テクノロジー、災害、人間社会の末路という三部構成で、その下にさらにキーワードを設定。今まさに旬の技術からSFならではの飛躍まで、分類に沿った全六十五作品を紹介する。教養としてのSF、という切り口がおもしろいガイド本だ。

BEST SF 2023 第28位

ラウリ・クースクを探して

宮内悠介
朝日新聞出版

今や電子国家として知られるエストニアで、二十世紀末に優れたプログラミング技術を持ちながら消息を絶った少年ラウリの足跡をジャーナリストが追う架空伝記。国家に翻弄される青春にMSXが寄り添う、レトロPC小説でもある。

BEST SF 2023 第30位

SFのSは、ステキのS＋

池澤春菜
早川書房

一冊目が星雲賞を受賞、現在も〈SFマガジン〉で連載が続くコラムの単行本化第二弾。ワールドコン初参加、初翻訳に初創作、チリ留学、さらにSF作家クラブ会長就任と、精力的に行動し続ける日々の記録と思索が軽やかに綴られる。

BEST SF 2023
第30位

時を追う者

佐々木譲
光文社

陸軍中野学校出身の工作員が、終戦四年目の日本から時を遡る洞窟をくぐって戦前に戻り、開戦を止めようとするが……というタイムトラベルもの。満州が舞台の冒険小説としてもおもしろく、正統派時間SFならではのスリルも満載だ。

BEST SF 2023
第30位

LOG-WORLD

八杉将司
SFユースティティア

人類の過去を丸ごと収めた月面施設〈ログワールド〉にアクセスした主人公は、若き日のヒトラーと出会い……。著者の死後、書籍化されたウェブ掲載長篇。自己と世界の認識をめぐるSFとして、また戦争文学としても読み応えがある。

ランク外の注目作

BEST SF 2023 国内篇

1位の『グラーフ・ツェッペリン』も土浦のディテールが印象的だったが、今年は土地に根差したSFに収穫が多かった。代表的なのは、正井編『**大阪SFアンソロジー OSAKA2045**』と、井上彼方編『**京都SFアンソロジー ここに浮かぶ景色**』（ともにKaguya Books／発売・社会評論社）。土地に縁のある作家を集め、前者は全十作、後者は八作を収録。土地に蓄えられた歴史・文化・人が、SFの技法で照らし出される。

藤井太洋『**オーグメンテッド・スカイ**』（文藝春秋）は、鹿児島の高校生たちがVRの世界大会に挑む青春小説。バンカラ気質が残る寮は作者の母校がモデルらしい。この他に、甲府で暮らす著者の暮らしと怪奇幻想が溶け合う飯野文彦『**甲府物語**』（SFユースティティア）、京都ならではの歴史がスポーツと絡む万城目学『**八月の御所グラウンド**』（文藝春秋）なども魅力的だった。

地上と隔絶した地下実験都市から生存者が現れる山田宗樹『**ヘルメス**』（中央公論新社）は独特の終末SFで、序盤の展開からは予想のつかない方向へ話が広がってゆく。

電子書籍で刊行された『**八杉将司短編集 ハルシネーション**』（SFユースティティア）は、全二十五作を収録。自己と世界の境界線を探る繊細な筆致に唸らされる。

伊野隆之『**ザイオン・イン・ジ・オクトモーフ イシュタルの虜囚、ネルガルの罠**』（アトリエサード）は、タコ型ボディに入った男の軽快な冒険SFで、背景になっている太陽系経済の仕組みなども読みどころ。

第六十四回メフィスト賞を受賞した須藤古都離『**ゴリラ裁判の日**』は、人語を習得したゴリラの一人称で語られる法廷小説だが、原型はSFコンテストの応募作らしい。第二作『**無限の月**』（ともに講談社）もSF風味濃厚な脳科学ミステリになっている。

新馬場新『**沈没船で眠りたい**』（双葉社）は、AIにより人間の仕事が奪われつつある未来を舞台に代替可能性の問題を巧みに変奏しながら紡ぐ、鮮烈なシスターフッドSF。

新川帆立『**令和その他のレイワにおける健全な反逆に関する架空六法**』（集英社）は、架空の法律を扱うリーガルSF短篇集。別のレイワを描く改変歴史ものとしても楽しい。

古川真人『**ギフトライフ**』（新潮社）は、ポイント制社会に過剰適応した主人公の行動を笑うに笑えないディストピアSFだ。

最後に『仮面物語』と並んで復刊ながら見逃せないのが、山野浩一『**花と機械とゲシタルト**』（小鳥遊書房）。長らく入手困難だった著者唯一の長篇小説がついに復活した。

国内篇第１位『グラーフ・ツェッペリン　あの夏の飛行船』

高野史緒インタビュー

聞き手：塩澤快浩（早川書房編集部）

■いつか書きたかった〝ツェッペリン到来〟

――ベストSF２０２３、国内篇一位おめでとうございます。これまで何度もベスト10にランクインされてきましたが、ついに第一位となり、日本SF大賞にもノミネートされている今の率直な感想をお願いします。

高野　本当にありがたいの一言です。私にとっては色々な意味で思い入れの強い作品だったので。長篇で、日本が舞台で日本人が主人公というのが初めてだったんです。これまでなぜ海外ものを書いていたかというと、私自身、自分に関することを直視するのがけっこうしんどい性質というか、「自分探しなんかとんでもねえ」っていう人間なんですよ。なので、自分から遠い場所や存在に興味があって、そこに自分との共通点を見出すほうが楽しかった。それが二〇一四年、二〇一六年に相次いで両親を亡くしまして。それから急に、自分に近いものを表現することができるようになったんです。

――それは意識してではなく？

高野　そう、まったく突然。いまだに海外ものも書きますが、＋αで自分に近いものも書けるようになったので、世界が広がった感じがします。本作のモチーフとなった、グラーフ・ツェッペリン号のことはずっと書きたかったんですが、昔はどうしても地元ネタに抵抗があって、ヨーロッパから乗ってきた人たちのことを書こうかと思ってたんです。

――高野作品ならそうなりますよね（笑）。

高野　でもやっぱり土浦に来たことを書かないわけにはいかないし、逡巡していたところに、Amazonのプロモーションで二〇一七年にKindle Singlesという短篇の依頼がありまして。電子出版なので、長くなりすぎなければ何枚でもいい、何でも書いていいと。それで「今だ！」って。もともと長篇で書きたかったんですが、まずここで短篇版を書いてみて、いつか発展させればいいやと。

――短篇版は長篇版とはいくつかの設定が異なっていますね。夏紀と登志夫が従兄妹同士だったり。

高野　短篇として発表したあと長篇を書きはじめて、正直どこの出版社に預けるかも最初は考えていなかったんです。書いていくうちに、自分にとっての古巣というか、実家のような早川さんに見てもらいたいなと思って。そう考えたら筆が進んだ。で、やっぱり歴史学の人間なので年表をつくると色々アイデアが出てくるんです。夏紀と登志夫それぞれの世界で、ツェッペリンが来てから宇宙開発がどう進んでソ連がどこで崩壊して、でもこっちは崩壊しなくて……っていう。その後に二人の日付を合わせた行動表も作りましたね。歴史ネタを書いてみたい人は、年表を書いてみるといいかもしれない。

――それぞれの世界で、技術の発展度合がずれているというアイデアはすんなり出てきたんですか？

高野　そうですね、短篇版を書く前に、もともとあの二人が別な世界にいる話を書きたいと思っていたので。でもその時はそれぞれがどういう世界になるのかも、それでどういう結末にするのかも思い付いていなかったんですが。ラストの量子力学ネタは年表を作っている時に「ああそうか、世界がわかれたのはツェッペリンが○○したから！」とひらめきました。

■原点である地元・土浦

――土浦のかなりローカルなネタも盛り込まれていますね。

高野　登場する場所はすべて実在です。私の祖父母は駅前商店街で佃煮屋をやっていたんですが、実際にツェッペリンを見ているんですよ。その時祖母は母を妊娠していて、着陸するときに停電が起こったというのも祖母の証言ですね。祖母から母、母から私に伝わって。何かの史料で、やはり電力を使い過ぎて、実際に停電したという記録を見つけた時は驚きましたね。

――刊行後、いなみ文庫（作中にも登場する薬局内の児童文庫）の方からお手紙が届いたんですよね。

高野　嬉しかったですね。いなみ文庫は子どもの頃のたまり場だったんですよ。私はそこで星新一のショートショートと出会ったんです。「世の中にこんなに面白いものがあるのか」と思ったんですよね。その後も、角川の『怪奇と幻想』みたいなちょっと怖い本や、学校の図書館にはないＳＦが置いてあるのを読んで、今の私が作られてしまった（笑）。

――完全に原点じゃないですか。

高野　そうです。なのであそこはやっぱり作品の中に出したいなと思って。

――亀城公園も？

高野　亀城公園は小学校の通学路で、中学校のころもよく通っていて。昔は公園内に市営プールもあって、思い出が多いです。夏紀と登志夫がツェッペリンを見上げた公園内の小さな丘は、休みの日に友達に偶然会ったり、ＵＦＯを見たり、私にとってはツェッペリンが見えても不思議ではない場所でした。

■黎明期のインターネット

――夏紀のパートではレトロなメール環境が描かれていて、本当に懐かしいですね。

高野　私は二〇〇〇年にパソコンを買ったんですよ。当時はメールが開通しても、まだ周りにメールをやっている人はほぼいなくて、最初は隣の部屋の妹にＥメールを送って「おお、送れたぞ」と喜んでました（笑）。

――登志夫の宇宙とは隔たれている感じがそういうシーンから伝わってきます。

高野　スペースシャトル打ち上げとか宇宙開発競争をリアルタイムで見ていたので、七〇年代は「ああ、いよいよ月か」と思ってたんですよね。それが八〇年代にコンピュータが登場して宇宙開発よりも発達してきた。改変歴史を書いてきた人間としては「これは世界が違っていたら、コンピュータより宇宙開発のほうが発展している世界だってあったかもしれないだろう」と。

■デビューから二十八年のキャリア

――大学も歴史学を専攻でしたね。

高野　卒論までは中世史をやろうとしてました。でも語学の壁にぶち当たって限界を感じていた時、フランソワ・フュレ『フランス革命を考える』という既存のフランス革命への見方を変えるすごい本が邦訳されたんですよ。ちょうどソ連が崩壊に向かう九〇年ごろにそれを読んで、どうせやるならフランス革命を専攻して、社会というものにしっかり向き合うべきだと思い直して。一年働きながら勉強して、お茶の水大学の大学院に入りました。でもそこで学ぶうちに、自分は研究者の器じゃないとわかってしまうんですよ。「この人が将来のリーダーだな」というのが修士課程のうちに見えてしまう。それで研究者はあきらめて就職活動とかもしたんですけど、就職氷河期で持病もあったので。翻訳のバイトをしながら小説を書いて、デビューしてからもバイトと掛け持ちしながら書いていました。

――最初に書かれたのはデビュー作の『ムジカ・マキーナ』ですか。

高野　その前に『架空の王国』のプレバージョンを日本ファンタジーノベル大賞に送ったんですけど、落ちました。その次が『ムジカ・マキーナ』で、修士論文と並行して書くという無茶苦茶をやりました。研究者の才能がないとわかっているのに論文書くのがすごいストレスだったんですよ。私としては本物の修士論文は大学に提出したやつじゃなくて、『ムジカ・マキーナ』だと思ってます！

――惜しくも受賞はしなかった訳ですが、どういう経緯で出版に至ったんですか。

高野　その時二人受賞者が出たんですね。『バガージマヌパナス』の池上永一さんと、『鉄塔 武蔵野線』の銀林みのるさん。でも高野も何とかしたいということで拾ってもらって。

『ムジカ・マキーナ』（ハヤカワ文庫JA）

――強力なおふたりですね。

高野　三人受賞は無理だけど、出版してもらいました。それがベストSF1995の国内篇で第四位。ありがたかったですね。

――それ以前にハヤカワ・SFコンテストにも応募されてましたよね。

高野　学部生のころに応募しました。初投稿作が一次選考を通ってちょっと気をよくしてしまって。「コンスタンティヌスの月のもとで」（高野愁星名義）という、日本の女の子がコンスタンティノープル攻防戦の時代にタイムスリップして、結果を歴史の授業で知ってるのでぽろっと言ったひとことが歴史に影響を及ぼして……みたいな話でした。

――初期の『ムジカ・マキーナ』から『カント・アンジェリコ』『ヴァスラフ』もですが、西洋史に最新のテクノロジーを代入したような異形の歴史＋音楽やバレエといった芸術的なものを書かれていますね。

高野　とにかくロシアと歴史と音楽が私のネタの宝庫なんで。二十歳のころに習っていた声楽の先生に誘われてソ連に行って、イメージとのギャップもひっくるめて、なんて面白いところなんだろうと思いましたね。

――『ムジカ・マキーナ』は音楽といってもかなり滅茶苦茶ですが（笑）。

高野　クラシックだけじゃなくテクノ系も好きだったんです、ちょうどジュリアナ東京の全盛期でね。でも実はクラブには一度も行ったことがないおうちリスナーです。

――弊社で最初に書いていただいたのも『カント・アンジェリコ』の後日談となる短篇「G線上のアリア」でしたね。その後、科学文明が発達したローマ帝国没落後の中世ヨーロッパが舞台の連作短篇集『アイオーン』を、Jコレクションから出させていただきました。こちらは歴史や文明テーマで。

高野　中世史専攻の時に思い付いたんですが、キリスト教の異端の考え方と正統がもし逆だったらどんな歴史になっただろうって。考えているうちに、これは古代の超文明をネタにいくつか書けるな、と。

――その次が『ラー』ですね。

高野　これはちょっと自分でも無茶苦茶やった自覚がありますね。古代エジプトにはもともと興味があったので、ある時ついに行ってみたら、あの文明ってすごく進んでいるようでじつは色々なところが人力なんですよ。それをいじってみたくなりました。

——あの時もヒエログリフとかこだわられてましたよね。

■ネタ元・ロシアについて

高野　でもやっぱり早川さんで出した一番のこだわりは『赤い星』でしょう。

——原点に戻ったような作風でしたね。構想のきっかけは？

高野　先ほども話しましたが、使えそうなロシアネタがわんさか溜まっていたんですよ。でも当時東京に引っ越してきたばかりで歌舞伎にもハマっていて、江戸時代にも興味があった。江戸とロシアをリミックスしてみたい！　という気持ちで。

——それで、ロシアに支配されている江戸（笑）。こちらも日本SF大賞候補になりました。

高野　あたためてきたアイデアを全部ぶち込んだのと、出来栄え的にも気に入っているのでちょっと燃え尽きた感じも経験しました。それでしばらくブランクがあったんですけど、その間も『カラマーゾフの妹』（当初のタイトルは『カラマーゾフの兄妹』）の準備はしていたんです。当時、光文社文庫版の『カラマーゾフの兄弟』が流行していて、読み返したら亀山郁夫訳が読みやすくて、夢中になって読みました。そのうちちょっと引っかかる点があって、真犯人とされているスメルジャコフは被害者を後ろから殴ったって証言しているのに、死体は胸元から血が流れていた＝前から殴られているということになる。これはミステリとしてあり得ない。目撃者の証言でも、ドアが開いていたか閉まっていたか食い違っているし。ただのミスかとも思ったけれど、ドストエフスキーは『罪と罰』でものすごい緻密な犯罪描写をやっているんですよ。現代のミステリ読みから見ても一点の瑕疵もなく書いている。それができる作者が、そんな矛盾を見過ごすわけがない。それで訳者の亀山さんの書いた『『カラマーゾフの兄弟』続編を空想する』（光文社新書）を読んで「あ、もしや続篇で解決篇をやるのでは」と思いついたんです。亀山さんも犯行が行われた一日のダイヤグラムを作ってるんですけど、それよりずっと正確なのを私が作りました（笑）。そうすると犯人はスメルジャコフじゃない。あの人しかいないというのがわかっちゃうんです。そうして誰に見せるかもわからないまま架空の『カラマーゾフ』第二部を自分で書き進めていた二〇一一年、東北の震災がありまして。その時に「何かをやらなかったことを後悔して死にたくない」と強く思って、それが私にとってはデビュー前から憧れていた、江戸川乱歩賞だったんですけどね。乱歩賞はプロ応募不可という規定がないし、今までも何人か受賞しているので。だから一度だけなら応募してもいいだろうと思って送り込んだわけです。

『赤い星』（ハヤカワSFシリーズ　Jコレクション）

■作風の変化

——それで見事、乱歩賞を受賞されて。

高野　それでまた燃え尽きてたんですけど。親の介護が始まっちゃって、書けない時期が何年か続いたんですよ。それがある日突然書けるようになって出来た短篇が、「読書法」が施行された世界が舞台の改変歴史SF「ハンノキのある島で」だったんです。

——ご家族を亡くされたタイミングが作家としても転機になられているのは、必然ともいうべきでしょうか。

高野　どうなんでしょう。でも大きい力に動かされているような気持ちはあります。でもやっぱり『グラーフ・ツェッペリン　あの夏の飛行船』の出来は（二〇二三年六月に逝去した夫・井上徹に）見せたかったなあと思いますね。塩澤さんに当初「五月に出してくれ」とこだわっていたのは、あれは何か予感でもあったのかなと思って。

――すごいタイミングでしたよね。

高野　なんというべきか。私は何かにコントロールされているタイプの作家なので、これからも書けたり書けなかったり、遅かったりすると思うんです。商業的にはちょっと難しい作家かもしれないんですけれど。

――このインタビューのために『グラーフ～』を読み直してたんですけど、今作はある種自伝的なところがかなりありながら、描かれているネタはこれまでの高野さんの作風と全然変わってなくて。怪しいロシア人が出てきたり、量子力学の仕掛けとか、盛りだくさんですよね。

高野　それはたぶん、親の介護中に一つだけ来たポピュラーサイエンスの仕事が影響してますね。じつは理系クラスから歴史学部に進学した「転び理系」なんですよ。もともと理系志望だったので、歴史学の方に行ってからもポピュラーサイエンスの知識はずっと吸収してたんです。「ハンノキ～」を書く前、小説が書けなかった時期になんでか分からないけれど、Kindle Singleから出るジョン・グリビンの『ビッグバンとインフレーション：世界一短い最新宇宙論入門』の翻訳を頼まれたんですね。科学関係の本は何がいいかというと、科学的事実から外れなければ誤訳は起きない。小説なんかだと微妙な表現のニュアンスが難しいですけれども、科学ならそれはない。だから私にもなんとかなったんですね。その時、必要に迫られてすごい勉強したんですよ。そうするとＮＨＫの『コズミックフロント』とか『神の数式』とかのサイエンス番組がとてもよくわかる。ここまでネタを蓄積したからには何か使いたいとずっと思っていました。それでちょうどツェッペリンのネタを書きたいなと思っていた時に、どこかでピタッと「あ、この解決法だ」とひらめいた。だからあの翻訳の仕事が無かったら、そこまで量子力学の知識を蓄積できていなかったので、『グラーフ～』は存在していなかったかもしれないと思います。

――ご自身を直視しないで済む、遠くにあるものにご自分を投影していたという意識がデビュー時から長らくあったとおっしゃっていました。最近になってそこから一歩踏み出すような作品を発表されたわけですが、ご自分のお好きなものに対する無邪気な、ストレートな想いみたいなものはずっと伝わってきていて。二十八年経って、その部分は全然変わって……。

高野　ないかもしれない（笑）。

――そして『グラーフ～』の場合は主人公にご自分を投影するんじゃなくて、その世界にご自身が夏紀という形で入っていったことで、より読者にも伝わったような感じがしました。そのあたりの加減って、著者としてはいかがですか。

高野　えー。そんなこと自分で計算してできるほど器用じゃないです。前にハヤカワＪコレクションフォーラム（二〇〇二年十二月）っていうイベントをやったことがあったじゃないですか。

――もう二十年前ですね。

高野　その時にも言ったんですけど、私という個人は、私の作品の奴隷なんですよ。なので、自分がコントロールして自分がやりたいようにやるんじゃなくて、〝作品様〟がいらっしゃって、私はそれにお仕えしている形だと思っているので。自分の意志でコントロールできると思っていないです。でも書きたいテーマはまだまだあるので、これからも自分のやり方でひとつひとつ書いていくしかないですね。（二〇二三年十二月二十六日／於・早川書房）

YOUCHAN氏による描き下ろしお祝いイラストを掲載。

国内篇
祝1位
グラーフ・ツェッペリン あの夏の飛行船
高野史緒 賛江
月刊 アトランティ
Windows 21
土浦小唄
土浦から
世界へ、
過去から
現在へ、
そして
「今・
ここ」から
もうひとつの
「今・ここ」へ
駆け抜ける
名作SFだっ！
YOUCHAN与利

ベスト30作品ガイド　海外篇

冬木糸一

順位	点	作品	著者・訳者・出版社
11	93点	鋼鉄紅女	シーラン・ジェイ ジャオ／中原尚哉＝【訳】／ハヤカワ文庫ＳＦ
11	93点	蒸気駆動の男　朝鮮王朝スチームパンク年代記	イ・ソヨン，チョン・ミョンソプ，パク・エジン，キム・イファン，パク・ハル／吉良佳奈江＝【訳】／新☆ハヤカワ・ＳＦ・シリーズ
13	90点	どれほど似ているか	キム・ボヨン／斎藤真理子＝【訳】／河出書房新社
14	86点	鏖《おう》戦《せん》／凍《いて》月《づき》	グレッグ・ベア／酒井昭伸，小野田和子＝【訳】／早川書房
15	82点	地球の果ての温室で	キム・チョヨプ／カン・バンファ＝【訳】／早川書房
16	79点	この世界からは出ていくけれど	キム・チョヨプ／カン・バンファ，ユン・ジヨン＝【訳】／早川書房
17	77点	火星からの来訪者　知られざるレム初期作品集	スタニスワフ・レム／沼野充義，芝田文乃，木原槙子＝【訳】／国書刊行会
18	74点	人類の知らない言葉	エディ・ロブソン／茂木 健＝【訳】／創元SF文庫
19	63点	異能機関（上・下）	スティーヴン・キング／白石 朗＝【訳】／文藝春秋
20	58点	ＡＩ 2041　人工知能が変える20年後の未来	カイフー・リー，チェン・チウファン／中原尚哉＝【訳】／文藝春秋
20	58点	吸血鬼は夜恋をする　ＳＦ＆ファンタジイ・ショートショート傑作選	R・F・ヤング，R・マシスン他／伊藤典夫＝【編訳】／創元SF文庫
22	57点	ギリシャＳＦ傑作選　ノヴァ・ヘラス	ヴァッソ・クリストウ他／フランチェスカ・T・バルビニ，フランチェスコ・ヴァルソ＝【編】／中村 融＝【訳】／竹書房文庫
23	55点	穏やかな死者たち　シャーリイ・ジャクスン・トリビュート	ケリー・リンク，ジョイス・キャロル・オーツ他／渡辺庸子，市田泉他＝【訳】／創元推理文庫
24	50点	超新星紀元	劉 慈欣／大森望，光吉さくら，ワン・チャイ＝【訳】／早川書房
25	48点	マシンフッド宣言（上・下）	S・B・ディヴィヤ／金子 浩＝【訳】／ハヤカワ文庫ＳＦ
26	47点	チェコＳＦ短編小説集２	ヤロスラフ・オルシャ・jr.，ズデニェク・ランパス，平野清美＝【編】／平凡社
27	45点	三体0《ゼロ》　球状閃電	劉 慈欣／大森望，光吉さくら，ワン・チャイ＝【訳】／早川書房
28	42点	グレイス・イヤー　少女たちの聖域	キム・リゲット／堀江里美＝【訳】／早川書房
29	39点	アメリカへようこそ	マシュー・ベイカー／田内志文＝【訳】／ＫＡＤＯＫＡＷＡ
29	39点	ロボット・アップライジング　ＡＩロボット反乱ＳＦ傑作選	D・H・ウィルソン＆J・J・アダムズ＝【編】／創元ＳＦ文庫

2023年ベスト総括

BEST SF 2023 海外篇

　今年度の1位は奇才ジョン・スラデックによる『チク・タク・チク・タク・チク・タク・チク・タク・チク・タク・チク・タク・チク・タク・チク・タク・チク・タク』が獲得！　原書刊行は一九八三年と一昔前だが、いまあらためて邦訳が出た理由は、訳者の鯨井久志が今回の版元の竹書房へと企画を持ち込んだことがきっかけだったという。二二年の総括では「若いSF翻訳者がいない問題」についても触れたが、鯨井久志は一九九六年生まれの翻訳者でもあり、新しい世代のSF翻訳者の登場・活躍という意味でも嬉しい1位となった。それに続く2位はジェフリー・フォードの日本オリジナルの短篇傑作選『最後の三角形』で、こちらも書かれた年代的には現代の作品ではないが、確固とした作品の質で高い評価を受けた形になる。どちらも訳者・編者の熱が伝わってくる企画であり、そうした点も評価に繋がったのではないか。

　3位には中国生まれだが現在は日本在住の陸秋槎による初のSF短篇集『ガーンズバック変換』がランクイン。本邦において劉慈欣の《三体》三部作からはじまった中国SFブームも落ち着いてきたように見えるが、本作をはじめとして、ランク外ではあるが陳春成の『夜の潜水艦』など、良い作品はまだまだ多数刊行されている。二三年は都市ぐるみでSFを推進する中国の成都でワールドコンが開催された記念すべき年でもあった。日本からも多くの作家・編集者が参加し、旺盛に交流がはかられたので、その成果も今後数年をかけて現れるのではないだろうか。

　全体の作品傾向に目を向けると、二二年は多数刊行されていたパンデミックが新型コロナ関連の話題が出なくなるのと同調してか、ほとんど刊行されなかったのが昨年との比較では印象に残った（出尽くしたのかもしれない）。また、水位の上昇、地球温暖化などで徐々に体感できるようになってきたことも手伝ってか、気候変動を扱ったClimate Fictionと呼ばれるジャンルのSFが増えている印象がある。今年度の9位にランクインしたキム・スタンリー・ロビンスン『未来省』はこのジャンルの王道といえる作品だし、14位のキム・チョヨプ『地球の果ての温室で』も広義の気候変動SF、20位の『ギリシャSF傑作選　ノヴァ・ヘラス』にも気候変動テーマの短篇はある。気候変動は今後も進行すると考えると、Cli-Fi作品も増えていくのではないか。

　小説外の事象やイベントにまで目をむけると、二三年は「SFと現実の関わり」がより注目を集める年であった。ロンドンの科学博物館で現実の科学とサイエンス・フィクションの相互発展の歴史を紐解いた「サイエンス・フィクション展」が開催された他（そのガイドブックは『サイエンスフィクション大全』として二三年にグラフィック社から刊行された）イーロン・マスクやジェフ・ベゾスといったビッグテック企業の創業者らがみなSF好きであり、SFで見た情景を現実にするために奮闘することが取り上げられる機会も増えてきた。また、それについて『アッチェレランド』などの著作があるSF作家チャールズ・ストロスが「SFはより多くの観客を惹きつける大衆娯楽として発展するもので、これを世界の命運のハンドルを握る億万長者がそのまま未来のロードマップにするのは危険だ」と語るように、危惧する声も上がっている。

　生成系AIが広く使われるようになった結果、創作では特に音楽や絵の分野で著しい変化が起こったことも要注目のポイントだ。SFマガジンでも生成AIを活用した創作が試みられてきたが、今後この流れがSFをより変えていくのは間違いない。期待したいところだが、学習元の権利問題など、危惧すべきポイントも多い。現実の科学・社会をめぐる変化が激しい昨今、最前線の話題を扱うSFとそこで扱われるテーマもまた変化していくのだろう。

BEST SF 2023

第1位

チク・タク・チク・タク・チク・タク・チク・タク・チク・タク・チク・タク・チク・タク・チク・タク・チク・タク・チク・タク

ジョン・スラデック

鯨井久志＝【訳】

竹書房文庫

SF界随一の奇才によるピカレスク長篇 殺人を犯したロボットな犯罪的実験に邁進

「SF界随一の奇才」など、異端の作家としての評価が高いジョン・スラデックによる一九八三年刊行のロボットピカレスク長篇がランキング1位を獲得！

物語の舞台はあらゆる作業にロボットを使うことが当たり前になった未来のアメリカ。ロボットには人を助けるためのアシモフ回路が組み込まれているので信頼されている。しかし、なぜか一般家庭で働いていたチク・タクにはその回路が作動せず、ある時近所に住む盲目の少女をおもむろに殺害し、その血で壁に絵を描き始めてしまう。

なぜ、チク・タクにはアシモフ回路が作動しなかったのか。人を殺したチク・タクは破壊されるべきなのか。人はどのような動機で動くのか――チク・タクはそうした数々の問いを持ち、放火や大量毒殺、航空機の爆弾テロなど、犯罪的実験に邁進することになる。どの事件にも自分以外の犯人を用意し罪を逃れ、それを利用して知名度を上げるので、チク・タクは最終的にロボットの権利運動の中心としても地位を高めていく。はたしてチク・タクはアメリカでどこまで上り詰めるのか。その悪行がバレた時、世界はどう変わるのか。一九八三年刊行と思えないほど、生成AIなどその後の数々の事件・イベントを先取りした作品で、スラデック入門にもぴったりの傑作だ。

BEST SF 2023

第2位

最後の三角形 ジェフリー・フォード短篇傑作選

ジェフリー・フォード

谷垣暁美＝【訳】

東京創元社

ジャンル色の濃いオリジナル傑作集第二弾 極小宇宙や映画ネタ、共感覚SFなど十四篇

ホラー、SF、ファンタジイ、幻想と多彩な作品を高いレベルで書き分ける作家、ジェフリー・フォード。彼の『言葉人形』に続く日本オリジナル傑作選第二弾がランキング2位を獲得。前作は幻想文学中心の選定だったが、今回は扱うネタは古典的ながらもホラー、SFなどジャンル色が濃い鮮烈な印象を残す十四篇が集められている。たとえば、「ダルサリー」は極小宇宙ものの一篇。縮小光線で人間を小型化し、それを瓶の中の都市に閉じ込め、自分が瓶の中にいることも知らせぬままその生活を観察する極小宇宙もので、終盤の演出が新しい。蟲のエイリアンらが暮らす町に人類が訪れ、彼らの持っている強力な催淫剤などのアイテムと、彼らが好む古い『カサブランカ』などの地球映画を物々交換する「エクソスケルトン・タウン」も映画×パワードスーツ物としておもしろい。蟲たちが喜ぶので、人類はリタ・ヘイワースなど著名な俳優の見た目を持つ外骨格でこの惑星に降り立つようになるのだ。

幻想譚寄りだが「アイスクリーム帝国」も素晴らしい。少年は赤紫からくさい匂いを感じたりと感覚の交錯が起こる共感覚者で、ある時コーヒーアイスクリームを食べて、彼は別世界の少女を幻視する。美しく、儚いロマンティックストーリーだ。

BEST SF 2023
第3位
ガーンズバック変換
陸 秋槎
阿井幸作、稲村文吾、大久保洋子＝【訳】
早川書房

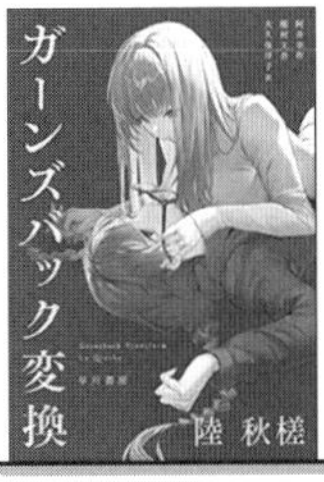

北京出身、日本在住の作家初のSF短篇集 ネット規制の行き過ぎた香川県を描く表題作

これまでミステリ系の作品で知られてきた作家陸秋槎によるSF短篇集が3位にランクイン。著者は北京出身だが現在は日本在住で、その経歴は各短篇の内容にも色濃く現れている。たとえば表題作は香川県のネット・ゲーム依存症対策条例が着想元の一篇で、この条例が行き過ぎた結果、香川県の若者は一切ネットに触れられなくなってしまった暗黒の未来――未成年者はみな〝ガーンズバックV〟という眼鏡をかけていて、液晶画面は真っ黒で見えなくなってしまう――を描き出す一篇だ。

他収録作としては技術的な介入によって、他人の苦痛から快感を得られなくなった最善主義者と呼ばれる人々が存在する世界を描き出す、イーガン的魅力に満ちた「サンクチュアリ」。スマホゲーム開発会社で、スペック的な制限から生まれる表現（昼夜が十二時間周期でガラッと切り替わるとか）に物理的に適合する宇宙モデルを考える必要に迫られ、苦悩するシナリオライターの物語「開かれた世界《オープンワールド》から有限宇宙へ」。言語SFにして極上の百合SFでもある「色のない緑」など、作品ごとに題材も文体もガラッと切り替えながら、どれも高いレベルでまとめあげている。著者はこれが初のSFの著作だというが、本書を読んだら、その才能に驚愕せずにはいられない。

BEST SF 2023
第4位
文明交錯
ローラン・ビネ
橘 明美＝【訳】
東京創元社

インカ帝国とスペインの関係性を逆転させた 細密かつ壮大な歴史改変シミュレーション

史実とは逆転し、インカ帝国「が」スペインを征服したら世界はどう変化するのか？　を描き出す歴史改変長篇が第4位にランクイン。そもそもなぜ最盛期には人口六百万人を有していたとされる巨大なインカ帝国があっけなくスペインに滅ぼされた（一五三三年）のかといえば、第一にスペイン側には火縄銃や蹄鉄を装着した馬などの武器的な有利があったからだ。そのうえ、スペイン人が天然痘をもたらしたことで戦争前にインカ帝国では人口減少と混乱が巻き起こっていた。

そこで、本作ではその前提を覆すことから始まる。第一部では十世紀、ノルウェーとアイスランドで揉め事を起こして新天地を目指したエイリークらの冒険が描かれ、彼らが北アメリカに到達、実はその後パナマまで南下し原住民に先に病気を引き起こしていた――といって、数百年がかりでスペイン打倒の下地を築き上げていくのである。インカ帝国がスペインを征服する過程も暴力だけでなく、農地改革から宗教改革、税や労働といった内政面に関しても細かく描きこまれていて、まるで「読む『Civilization』（戦略シミュレーションゲーム）」の如し。なんでも、著者もこのゲームを意識して書名を決めたとか。歴史小説好きだけでなくゲーマーにもオススメの作品だ。

BEST SF 2023
第5位
美しき血
ルーシャス・シェパード
内田昌之＝【訳】
竹書房文庫

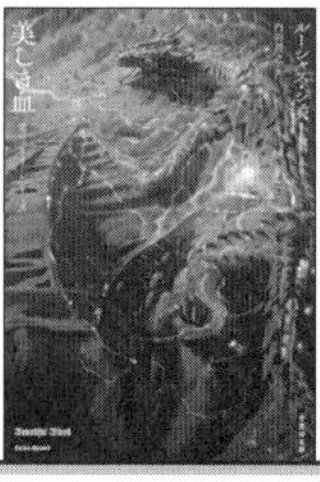

《竜のグリオール》最終巻にして著者の遺作 竜の血を取り込んだ科学者が神性に揺れ動く

ルーシャス・シェパードの代表作《竜のグリオール》シリーズの最終巻にして、遺作となった長篇が第5位にランクイン。本シリーズ（全三作。一、二作目はどちらも中短篇集）は、数千年前に凄腕の魔法使いと戦った結果、身動きがとれなくなった全長一マイルにも及ぶ巨大な竜グリオールについての物語である。とはいえグリオールは動けないので、物語の大半はその周辺に作り上げられた街と、グリオールの目に見えぬ影響によって人生が歪んでしまった人々の姿を描き出していく。

本作は、グリオールの血液を研究していた若き医師ロザッハーの人生を断片的に追う構成になっている。ロザッハーは研究の過程で竜の血を体内に取り込むことになるのだが、その血が普通のものであるはずがない。研究の結果は神秘的で幻惑的なもので——と、それをドラッグのように精製して市民に販売するなど、冒頭はピカレスクロマンのように物語は進行していくのだ。ロザッハーは腐っても科学者であるがゆえにグリオールの神性やファンタジックな要素を否定したいと思う一方で、グリオールの精神干渉も実体験として感じるようになり、神性と科学の間で揺れ動く。ファンタジイでありながら、そうしたSF的な魅力も持ち合わせた傑作だ。

BEST SF 2023
第6位
SFの気恥ずかしさ
トマス・M・ディッシュ
浅倉久志、小島はな＝【訳】
国書刊行会

ニュー・ウェーヴ運動の代表格による評論集 舌鋒鋭い批判からユーモア混じりの激賞まで

ニュー・ウェーヴ運動の中心的作家だったトマス・M・ディッシュのSF評論集が6位を獲得。SF作家は文学の田舎ものであり、気恥ずかしさをお互いに与えあってきたと語りSFの限界と可能性について考察した表題作の講演からはじまって、SFで神話を取り上げる際の課題や特性について『フランケンシュタイン』など様々な作品を挙げながら語る「神話とSF」など、切れ味鋭い評論・エッセイが並んでいる。

いま読んでも驚くのは、燃やすべきひどいSFについて語る「聖ブラッドベリ祭」、SFの年刊傑作選を取り上げ、特定の作家グループを酷評した「レイバー・デイ・グループ」など、ディッシュが現役の作家ながらも時に舌鋒鋭く、他作家の作品を批判することだ。それだけの覚悟と理屈を持ってやっているわけだが、時代の空気感が伝わってきておもしろい。無論、批判に終始しているわけではない。エイリアンに誘拐された体験記『コミュニオン』の書評かと思いきや、途中からエイリアンに会って——とまるで小説のように展開していく「ヴィレッジ・エイリアン」や、ディックの唯一無二性を高らかに謳い上げる『偶然世界』序文など、ユーモア混じりの激賞も心に残る。ディッシュの批評家としての側面が凝縮された一冊だ。

BEST SF 2023

第7位

輝石の空

N・K・ジェミシン
小野田和子＝【訳】
創元SF文庫

ヒューゴー賞連続受賞シリーズ三部作完結篇
異能者たちの活躍と差別、繰り返される崩壊

三年連続でヒューゴー賞長篇部門を受賞したサイエンス・ファンタジイ、《破壊された地球》三部作の完結巻が7位にランクイン。物語の舞台は、スティルネスと呼ばれる巨大な大陸が存在する惑星。ここでは数百年ごとに大規模な地震活動や天変地異によって破壊的な気候変動――〈第五の季節〉と呼ばれる――が起こり、文明が幾度も滅びかけてきた。この世界にはエネルギーをコントロールできる造山能力者（オロジェン）が存在し、その力によって人類はなんとか生き延びてきたのだが、大きすぎる力は差別に繋がり、彼らは必要とされながら疎まれる対象となっている。

三部作を通して、莫大な力を持つオロジェンの母娘を通してどうして世界はこのような状態になってしまったのかが描き出されていくが、本作ではそのこまでの多くの謎――なぜ〈季節〉が起きるのか、どうやったら止めることができるのか――に答えが与えられ、三部作の結末にふさわしい、壮大な景色にたどりつく。オロジェンの虐げられてきた歴史をマイノリティに対する差別の歴史と重ねて読むこともできるし、繰り返される崩壊のシーンは破滅、終末SFとしても一級品。オロジェンの戦いは能力バトル的におもしろくて――と、読みどころがたくさんあるシリーズだ。

BEST SF 2023

第8位

怪獣保護協会

ジョン・スコルジー
内田昌之＝【訳】
早川書房

失職した主人公がスカウトされたのは……？
巨大怪獣たちの生態を描くポップな長篇

『老人と宇宙』など数多のSF作品シリーズで知られるジョン・スコルジーの最新邦訳作は、書名にも入っているように「怪獣」をテーマにした長篇だ。ニューヨークで宅配アプリ会社で働いていたものの、コロナ禍による不況で失職したジェイミーが、昔の知り合いから怪獣保護協会に突如スカウトされる場面から物語ははじまる。ジェイミーには最初怪獣のことは伏せられ、単に大型動物保護団体に誘われるのだが、機密保持契約にサインし、絶滅したはずの天然痘を含む数々のワクチンを打ちグリーンランドに連れて行かれると、そこには天文学や有機化学といった理系的専門を持った〝オタク〟たちが集められていて――と、一行は怪獣が跳梁跋扈する通称〈怪獣惑星〉に連れて行かれることになる。そこで、交尾に積極的でない怪獣同士をくっつけるなど、保護活動に邁進するのが彼らの仕事なのだ。

本作はもともとスコルジーがコロナで参ってしまって何も書けなくなった時に、リハビリのように書き始めた作品というだけあって、軽快でキャッチーな、ポップソングのような作品だ。とはいえ、どのような理屈なら巨大な怪獣が生存できるのかやその生態といった書き込みはしっかりしていて、ただ〝軽い〟だけで終わる小説ではない。

BEST SF 2023

第9位

未来省

キム・スタンリー・ロビンスン

瀬尾具実子=【訳】/坂村 健=【解説】

パーソナルメディア

ハードSF作家が描く気候変動ものの注目作
経済から農業まで、あらゆる側面を射程に

近年進行する地球温暖化の影響もあって、特に欧米では気候変動を扱ったフィクション群(Climate Fiction)が大きく話題になっているが、《火星三部作》などハードSFの著作で知られるキム・スタンリー・ロビンスンの『未来省』は、このジャンルにおいてまず真っ先に注目すべき作品だ。物語は二〇二五年の至近未来からはじまり、気候変動に関するありとあらゆる対策を実施する〝未来省〟の人々の活躍を描き出していく。

気候変動対策といえば二酸化炭素削減のイメージが大きいが、できること・やるべきことはそれだけではない。たとえば温暖化によって住む場所を奪われた自然動物たちの保護、移民となった人々の住居・ライセンスの調整、海水を真水にする技術の開発も重要だ。空中に粒子を撒くことで太陽の熱を一部反射させるジオエンジニアリングだったり、炭素排出を削減することで発行される、世界中の通貨で換金可能なデジタル通貨の創出など、本作では経済から農業まで、世界のあらゆる側面を射程に入れて語り尽くしていく。

その性質上、時に何ページにもわたって解説パートが入ることもあるが、そうした手段を使ってでも、気候変動にまつわる世界のすべてを描き出そうとした、野心的な傑作である。

BEST SF 2023

第10位

時ありて

イアン・マクドナルド

下楠昌哉=【訳】

早川書房

紙の本で読むことの意義に満ちた時間SF
ロンドンの古書商が見つけた手紙の恋物語

小説には時折「これは絶対紙で読むべきだ」と思わせる作品が現れるものだが、時間SFである本作はそれを体現する一冊だ。物語の主な舞台は現代のロンドンで、戦争物のノンフィクションを専門とする古書ディーラーのリーという男を中心に進行していく。彼は閉店する書店の在庫の山の中から、詩集『時ありて』を手にとるが、その中に第二次世界大戦時の兵士であるトムとベンの間で交わされた、親密な手紙が挟まっているのを発見する。リーはトムとベンの恋路で何があったのかを知るために複数の『時ありて』と、その中に隠された手紙を集めていくが、その内容には時系列的におかしな箇所——何十年も異なる年代のやりとりなど——が存在することに気がついていく。

同時に、トムの視点で過去の物語も明かされる。詩人で美しい文章を書くトムと、科学者で複雑な理論の説明も難なくこなすベン。性質があまりに異なる二人が、そうであるがゆえに惹かれ合っていく様や、なぜ二人が本に手紙を挟むという迂遠な手段でメッセージを送り合っていたのかといった謎が、両者の視点から解き明かされていく。極上の男性同士のロマンスものであるのはもちろん、読み終えた後にもう一度読み返したくなる仕掛けが詰まった快作だ。

BEST SF 2023

第11位

鋼鉄紅女

シーラン・ジェイ・ジャオ

中原尚哉＝【訳】

ハヤカワ文庫SF

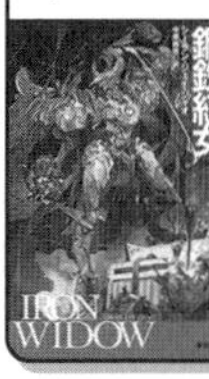

古い伝統に縛られた社会の破壊へジェンダー、青春、ロボットSF

中国出身で幼少期にカナダに移住した作家、シーラン・ジェイ・ジャオのデビュー長篇にして、中国文化を背景にジェンダーと青春を描き出すロボットSF。物語の舞台は渾沌《フンドゥン》と呼ばれる地球外生命体に地球が襲われ、崩壊しかかった未来。だが人類は渾沌の死骸から人類側の兵器となる巨大ロボット霊蛹機を作り出し、各地で渾沌と領土の奪還戦を繰り広げている。霊蛹機を操縦するのは男女一組のパイロットだが、女子パイロットは戦闘の最中に気を吸われて死亡することが多く、使い捨てのように扱われる。しかし、主人公の武則天《ウー・ゾーティエン》はある男性パイロットに復讐するためにパイロットに志願した女性で、そうした男性上位の社会や、暗黙の伝統に縛られたこの社会を破壊するために動く。旧弊な伝統をひっくり返す、痛快な物語だ。

BEST SF 2023

第11位

蒸気駆動の男 朝鮮王朝スチームパンク年代記

イ・ソヨン、チョン・ミョンソプ、パク・エジン、キム・イファン、パク・ハル

吉良佳奈江＝【訳】

新☆ハヤカワ・SF・シリーズ

朝鮮王朝時代のシェアワールドとスチームパンクの魅力が見事両立

飲み会で居合わせた五人の韓国作家が盛り上がって刊行にまでこぎつけた、朝鮮王朝があった時代（一三〇〇年代から一八〇〇年代頃）を舞台にした、全五篇のスチームパンクアンソロジー。共通の世界観で各作家がそれぞれ自由に短篇を描き出す、シェアワールド的な作品になっている。実在の人物である洪国栄が実は人間そっくりの蒸気機械だったら——という冒頭から、彼が政治の中枢に関わるようになる過程を描き出すイ・ソヨン「知申事の蒸気」のように、本書収録作は基本的に、歴史上の事実や人物は史実通りで、あの歴史的出来事・人物の裏側は、こうだったのかもしれない……という空白の部分を蒸気機関技術が埋めていく。そのため、スチームパンクとしての魅力と朝鮮史物としての魅力が見事に両立しているのだ。

BEST SF 2023

第13位

どれほど似ているか

キム・ボヨン

斎藤真理子＝【訳】

河出書房新社

現代韓国SFトップクラス短篇集時間SFから政治とネットまで

現代韓国で「最もSFらしいSFを書く」と評される作家キム・ボヨンのSF短篇集。本邦でも韓国SFの翻訳が進み、素晴らしいSF短篇集も多数出ているが、たしかに本作はその中でも最上位のおもしろさだ。光速で移動できる超人〈稲妻〉を主人公に据え、（光速で移動すると時間の流れが変わることから）時間をテーマにしてみせたSF×ヒーロー物の「この世でいちばん速い人」。韓国の過酷な受験競争に対する親世代と子世代の認識の違い・対立を時間SFとして描き出していく「0と1の間」。マインドネットと呼ばれる心の中を広く公開するシステムが存在し、若い世代から圧倒的な支持を受けている候補者がいる世界での、政治、選挙における言葉の意味が問われていく「静かな時代」など、幅広いテーマの作品が揃っている。

BEST SF 2023
第14位

鏖戦《おうせん》／凍月《いてづき》

グレッグ・ベア
酒井昭伸、小野田和子＝【訳】
早川書房

巨匠グレッグ・ベアの追悼出版
壮大さや構成力が光る代表作2篇

二〇二二年にハードSFの巨匠グレッグ・ベアが亡くなったが、本作はその追悼で刊行された、著者を代表する中篇二つをまとめた記念碑的作品になる。「鏖戦《おうせん》」では、遠未来を舞台に、常識も容姿も政治体制も何もかも変質した人類と、異星種族《セネクシ》の戦いが長い時と共に描かれていく。グレッグ・ベアのスケールの壮大さと、異質なセネクシの思考をバリバリの造語で翻訳した訳者による詩的な表現が噛み合った傑作だ。続く「凍月《いてづき》」は人体の冷凍保存を中心テーマに、バラバラにみえたピースが終盤にかけて気持ちよくハマっていく、グレッグ・ベアの構成力の高さが光る作品。最先端の科学とテクノロジーを貪欲に吸収し、それを壮大で独特なヴィジョンに仕立て上げてきたグレッグ・ベア作品は今読んでもやはり唯一無二である。

BEST SF 2023
第15位

地球の果ての温室で

キム・チョヨプ
カン・バンファ＝【訳】
早川書房

キム・チョヨプの第一長篇は
生態系の魅力を描いた植物SF

SF短篇集『わたしたちが光の速さで進めないなら』が大きな話題となったキム・チョヨプの第一長篇で、ダストと呼ばれる大気汚染物質によって多くの土地や生物が死に絶えた大災害後の未来を描く、ポストアポカリプス系の作品だ。植物生態学者のアヨンは韓国のある街で増殖を続けている有害な雑草であるモスバナの謎を解明するためにエチオピアに飛ぶのだが、そこで彼女は、あらゆるものがダストに蝕まれ、管理されたドームでなんとか生き延びていた時代に、森の奥でひっそりと生き延びた人々がいたことを知る。ドームのような守ってくれるものもないのにダストに適応して生き延びた植物の変異の多様性についてなど、植物を中心とした「生態系」の驚異、魅力をじっくりと語っていて、植物SFとしても珠玉の出来だ。

BEST SF 2023
第16位

この世界からは出ていくけれど

キム・チョヨプ
カン・バンファ、ユン・ジヨン＝【訳】
早川書房

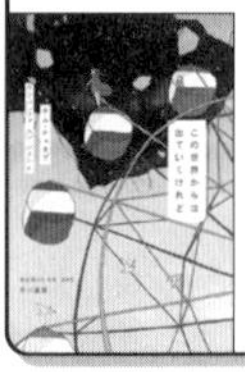

テクノロジーが変える世界認識
人間の感覚、認知テーマの短篇集

15位から続けてランクインのキム・チョヨプによる本作は〝人間の感覚、認知〟をテーマにしたSF短篇集だ。たとえば「マリのダンス」では世界の情景がバラバラのピースとして感じられるようになったモーグという人々を描き出していく。現実には身体完全同一性障害といって、脳の異常により自分の足が自分のものだと感じられなく人たちが存在するのだが、「ローラ」はその逆に、自分には三本目の腕があると信じ込んでしまった女性の物語で——と、われわれはたとえ同じ人間同士であっても、同じように世界をみているとは限らない。生まれ持った感覚器官だけでなく、眼鏡をはじめとした様々なテクノロジーを通すことで、世界の認識は異なってくる。その断絶を乗り越え、理解し合うことは可能なのか？ を各作品を通して追求している。

BEST SF 2023
第17位

火星からの来訪者
知られざるレム初期作品集
スタニスワフ・レム
沼野充義、芝田文乃、木原槙子＝【訳】

国書刊行会

SFデビュー短篇など レム幻の未邦訳初期作

レムのこれまで翻訳・刊行されていなかった幻の初期作品を集めた中短篇&詩集。目玉は表題作の中篇で、レムのSF作家としてのデビュー作とされる『金星応答なし』（一九五一年）に先立ち、一九四六年に発表された幻のSFである。〝火星の人〟が乗った隕石がアメリカに落下し、科学者らはなんとかして火星人と意思疎通をとろうとするが――といった王道的なファーストコンタクトが、科学的な検証描写と異質な知性とコミュニケーションをとることは可能なのか？　という後の諸作品に繋がるテーマと共に描き出されていく。レムを語る上で欠かせない作品だ。

BEST SF 2023
第18位

人類の知らない言葉
エディ・ロブソン
茂木 健＝【訳】

創元SF文庫

テレパシーを用いる異星人との交流と事件

テレパシーを用いて会話をするロジ人が地球にやってきた近未来を舞台に、ロジ人と人間の通訳を務める女性のリディアを主人公に展開していくSFミステリ長篇。テレパシーを人間の言葉に翻訳する特殊な仕事の困難さを丁寧に描写・演出していく（たとえば、複雑な文脈への知識と、即時性が求められる芝居の通訳の難しさなど）のが、本作の魅力のひとつ。だが、リディアが担当する重要人物が何者かに殺されてしまい――と、殺人事件とその解決に、異文化間の対話・コミュニケーション・翻訳の問題が絡んでくる。SF的にもミステリ的にも隙がなく、手堅くまとまっている。

BEST SF 2023
第19位

異能機関（上・下）
スティーヴン・キング
白石 朗＝【訳】

文藝春秋

謎の組織に拉致された異能の少年少女たち

スポーツも含めたあらゆる領域で才能を発揮する十二歳の神童ルーク。実は彼にはそれだけではなく、小さな物を触れることなく動かすことができる超能力も備わっていた。両親とともに平穏な生活をおくっていたルークだが、ある時彼のような超能力者を次々と拉致している謎の組織に連れ去られ、何らかの目的のため拷問にも等しい検査を受けることになる。はたして超能力持ちの少年少女たちは、その能力を駆使して研究所を脱し、打倒することができるのか。能力が開花していくシーンや終盤のカタストロフの演出などキングの技術は相変わらず冴えわたっている。

BEST SF 2023
第20位

AI 2041
人工知能が変える20年後の未来
カイフー・リー、チェン・チウファン
中原尚哉＝【訳】

文藝春秋

実業とSFの想像力ですぐそこの未来を描く

元Google中国の社長である李開復が二〇四一年に何が起こりえるのかの未来予測と技術的な解説を担当し、『荒潮』などの長篇で知られるSF作家陳楸帆がそれを背景とした短篇を仕立て上げる形で合作したSF短篇集。短篇「花占い」では、四一年のインドのムンバイを舞台に、AIの指示通りに生活（投資や食事など）を送ることで、保険料が動的に変動する未来を描き出している。しかし、そのアルゴリズムには深層学習によって学習された潜在的なカースト差別が入っていて――と、単に明るいだけではない未来の姿を、教育や仕事など、多様なテーマを通して捉えていく。

BEST SF 2023

第20位

吸血鬼は夜恋をする

SF&ファンタジイ・ショートショート傑作選

R・F・ヤング、R・マシスン他

伊藤典夫＝【編訳】

創元SF文庫

伊藤典夫初のアンソロSF味が増した増補版

伊藤典夫が初めて一人で編んだ同名アンソロジーの増補文庫版。当時の全収録作に加えて、〈SFマガジン〉、〈奇想天外〉に訳出していたショートショートが九篇増補されている。ある日曜日の三時間だけ、世界から人が消え、うろたえながら探し回る様を描き出すマン・ルービン「ひとりぼっちの三時間」。現代でいう遺伝子改変技術によって、「尻尾や鰓を持ち、見た目や性器は女性だが遺伝子的には男性」のような存在が生み出せるようになった千年後の未来の性愛を描き出すフレデリック・ポール「デイ・ミリオン」など、追加分は特にSF味が強い作品が揃っている。

BEST SF 2023

第22位

ギリシャSF傑作選 ノヴァ・ヘラス

ヴァッソ・クリストウ他

フランチェスカ・T・バルビニ、フランチェスコ・ヴァルソ＝【編】　中村融＝【訳】

竹書房文庫

全十一篇収録。移民問題を扱った「蜜蜂の問題」。海面上昇によって水没した都市とビジネスチャンスを描き出す「ローズウィード」、遺伝子操作テーマの「T2」など、ギリシャのいま・この問題が色濃く反映されたSFアンソロジー。

BEST SF 2023

第23位

穏やかな死者たち

シャーリイ・ジャクスン・トリビュート

ケリー・リンク、ジョイス・キャロル・オーツ他

渡辺庸子、市田泉他＝【訳】

創元推理文庫

「奇才シャーリイ・ジャクスンの作品のエッセンスを取り入れること」、「彼女と同種の感受性の発揮」が各作家にオーダーされた全十八篇のアンソロジー。ケリー・リンク、ジェフリー・フォードなどSFでもおなじみの作家が揃っている。

BEST SF 2023

第24位

超新星紀元

劉 慈欣

大森望、光吉さくら、ワン・チャイ＝【訳】

早川書房

太陽系から八光年離れた場所にある恒星が爆発を起こし、放射線によって大人が死に絶える地球社会の姿を描き出していく。大人は僅かな時間で何を残すのか。劉慈欣の第一長篇だが、後の作品に劣らぬ壮大なスケールの物語が展開している。

BEST SF 2023

第25位

マシンフッド宣言（上・下）

S・B・ディヴィヤ

金子 浩＝【訳】

ハヤカワ文庫SF

人工知能とロボットに人間の労働の大半が代替されてしまった近未来を描き出す、著者の第一長篇。人間はロボットに勝るために能力を向上させる薬物を接種していて——と、薬物問題が深刻化するアメリカの問題も取り込んでいる。

BEST SF 2023

第26位

チェコSF短編小説集2

ヤロスラフ・オルシャ・jr.、ズデニェク・ランパス、

平野清美＝【編】

平凡社

カレル・チャペック賞の受賞作を中心に編まれた日本オリジナルアンソロジー。人類が地球を捨てた未来、最後まで地球に残った発明家と人間そっくりのロボットたちの叙情的な終幕を描く「発明家」など、寓話的なSFが印象に残る。

BEST SF 2023

第27位

三体0《ゼロ》 球状閃電

劉 慈欣

大森望、光吉さくら、ワン・チャイ＝【訳】

早川書房

《三体》の連載前年に出た、前日端的長篇が本作。空中を発光体が浮遊する「球電」と呼ばれる事象の探求が、世界を一変させる兵器の開発、その苦悩と責務に繋がっていく過程を描き出している。科学×兵器開発をテーマに据えた長篇だ。

BEST SF 2023

第28位

グレイス・イヤー 少女たちの聖域

キム・リゲット

堀江里美＝【訳】

早川書房

少女には危険な魔力が宿るとされ、それを解き放ち清らかな女性になるために、十六歳の少女たちは儀式として森の奥で一年間過酷なキャンプを強いられる。抑圧された女性たちの抵抗と解放を描き出すディストピア長篇だ。映画化も進行中。

BEST SF 2023

第29位

アメリカへようこそ

マシュー・ベイカー

田内志文＝【訳】

KADOKAWA

マインドアップロード物から罪を犯すと記憶を消される世界の話、魂の総量が一三〇億人あたりで限界を迎える話まで、SF・奇想が揃った、アメリカ注目の作家による初の短篇集。壮大なハッタリに強引に理屈をつけていく剛腕がある。

BEST SF 2023
第29位
ロボット・アップライジング AIロボット反乱SF傑作選
D・H・ウィルソン&J・J・アダムズ＝【編】
創元SF文庫

ロボットの〝反乱〟をテーマにしたアンソロジー。放射能を吸収し放射性廃棄物を取り除くミニッドと呼ばれる極小のサイボーグを描き出す「神コンプレックスの行方」など、各作家思考を凝らして現代ならではの反乱を描き出している。

ランク外の注目作

BEST SF 2023 海外篇

最初に紹介したいのは、ヴィクトリア朝時代を舞台に、フランケンシュタインやジキル博士といった著名なキャラクターの娘たちの冒険を描き出す、シオドラ・ゴスによる《アテナ・クラブ》シリーズ第二部の**『メアリ・ジキルと怪物淑女たちの欧州旅行Ⅰ・Ⅱ』**（原島文世訳／新☆ハヤカワ・SF・シリーズ）だ。ホームズからフロイトまで、空想現実分け隔てなく著名人が入り乱れ、クロスオーバー好きにはたまらない作品に仕上がっている。特にこの欧州旅行篇ではオリエント急行を使った旅路もじっくりと描き出されていて、旅小説的にも素晴らしい。他、主流系のSFとしては、アンディ・ウィアーなど今欧米圏で話題の著者六人によるアンソロジー**『フォワード　未来を視る6つのSF』**（東野さやか・他訳／ハヤカワ文庫SF）が、人間を超えたAI、遺伝子改変といった多彩なテーマで未来を描き出していておもしろかった。

続いて文学系の作品も紹介していこう。リチャード・パワーズによる**『惑う星』**（木原善彦訳／新潮社）は、宇宙生物学を専門とする研究者の父親と、医師からADHDや自閉症など様々な可能性を示唆された息子ロビンの親子の行末を描き出す、二一世紀のアルジャーノンとも評されるSF長篇だ。ロビンは制御できない自分の症状を抑えるため、他者の脳の動きを別の人間にトレースさせる神経結合に関わる実験に参加することになり——と、序盤はアメリカの社会的な問題を扱いながら、途中から脳・神経科学SFとして飛躍していくことになる。

もう一冊記憶に残ったのが、一九九〇年生まれの中国文学界の新星、陳春成の短篇集**『夜の潜水艦』**（大久保洋子訳／アストラハウス）。幼少期から高校まで、自分だけの潜水艦をその細部に至るまで想像し続けた少年の物語など、想像力や創造にまつわる作品が特に良い。マット・ラフ**『ラヴクラフト・カントリー』**（茂木健訳／創元推理文庫）は、黒人差別が色濃い一九五〇年代を舞台に、黒人の登場人物らが次々と魔術的騒動に直面する様を描く（連作長篇で、黒人差別の歴史や差別をSFならではのやり方で扱った傑作である。

最後に紹介したいのは、**『サイエンス・フィクション大全　映画、文学、芸術で描かれたSFの世界』**（石田亜矢子訳／グラフィック社）だ。ロンドンの科学博物館で開催された「サイエンス・フィクション展」のガイドブックとして刊行されたもので、豊富なイラストや図版、世界中のSF作家たちへのインタビューを通して、SFと現実の科学の発展の歴史に迫っている。

ジョン・スラデック
『チク・タク・チク・タク・チク・タク・チク・タク・チク・タク・チク・タク・チク・タク・チク・タク・チク・タク・チク・タク』

ベストSF2023海外篇1位記念

訳者・鯨井久志インタビュー

聞き手：水上志郎（竹書房編集部）

初の訳書でベストSF1位の快挙を達成した注目の若手への初インタビュー。京大SF研時代の活動から出版に至るまでのヒストリー、今後の展望を担当編集者が訊いた。

■海外ＳＦ翻訳という進路

――まずは、1位の報せを受けたときの感想からお聞かせください。

鯨井　「『読みたい！』1位獲りたいですね」という話は水上さんともしていたじゃないですか。でもあくまで目標で、本当に獲れるとは思っていなかったですねえ。すごく嬉しい気持ちと、世も末だなっていう感慨の両方があります（笑）。酷い話じゃないですか、この小説って。

――遡りますが、僕が初めて鯨井さんを知ったのは『カモガワＧブックス』でした。

鯨井　僕と空舟千帆くんという京大ＳＦ研出身の二人でやっている、海外文学評論の同人誌ですね。

――そこでも最初から奇想作品を紹介していましたが、その嗜好はいつ頃からですか。

鯨井　子どものころ『ドラえもん』がめちゃくちゃ好きだったんですよ。いま思えば、ひみつ道具ってある種の奇想ですよね。それで漢字を覚えてから星新一を読み、筒井康隆経由でラテンアメリカ文学にハマり。

――『カモガワ〜』を始めたきっかけは。

鯨井　四回生の時に『少女終末旅行トリビュート』という同人誌を出して、その縁でＳＦマガジンの百合特集（二〇一九年二月号）に寄稿したんです。それがきっかけになって、自分の言語化能力を高める武者修行の場を作りたいなと思って始めたんですよね。最初は非英語圏文学特集で、ラテンアメリカ文学の叢書の《フィクションのエル・ドラード》全レビューをやったんです。なかなか全部読む人はいないだろうし、目立てるだろうという目論見もあって（笑）。

——鯨井さんは当時医学生で、本当に沢山の選択肢があったなか、なぜ海外SF翻訳に気持ちが傾いていったんでしょう。

鯨井　もともと外科医や内科医ではなく、精神科医になろうと思っていたんです。本が好きなのも活かせるかもしれないし、自分の性格にも合っているんじゃないかなあと思っていたので。医師免許で食い扶持を稼ぎつつ、副業で物書きができたらいいなあと漠然と考えてはいました。翻訳自体は、『カモガワGブックス』Vol.3で《未来の文学》特集を組んだときに「翻訳小説も載っていたほうがいいな」と思って、それで自分で訳せるものを探したのがきっかけですね。

■スラデックとの出会い

——そこから二足の草鞋を履いていこうと思いつつ、今日に至るわけですね。スラデックはもともとお好きだったんですか。

鯨井　そうです。高校生まではSFにこだわらずいろいろ読んでいたんですが、中高の同級生だった空舟くんに誘われて京大SF研に入りました。入ったはいいものの、最初先輩方のSFトークについていけなくて、これはちょっと勉強しようということで、オールタイムベストを上から読んだんですよ。テッド・チャンやイーガン、ディック、レムとかまとめて。その時にSFって面白いなと思ったんです。SFもいろいろありますが、僕は特にスラップスティックなものや奇想SFが好きで……大阪出身だからなのかな。筒井康隆もわりとそうですしね。それで、そういう雰囲気のSFを探していたときに、神戸の古本屋で見つけた『遊星よりの昆虫軍X』を読んでハマりました。当時二〇一六年とかで『ロデリック』が刊行されたばかりで、続けて読んでスラデック、すごい……！　と。

——そこからなぜ長篇の翻訳に？

鯨井　*Tik-Tok*は故・殊能将之先生のブログで知って以来目を付けていました。働きはじめて二年目に、ちょっと現実逃避もあって最初の一章を訳してみたんですよ。そしたら意外とすんなり訳せて、このペースなら計算上は二、三カ月くらいで出来るということで気軽な気持ちではじめました。結局一カ月半くらいで出来ちゃったんですが。言葉遊びをどう訳すかとか考えるのが好きなので、すごく楽しかったですね。ただ、最初は完成しても身内にちょっと配ればそれでいいやと思っていたんです。あわよくば出版したいとかいう気持ちは全然なかった。

——そこから心境の変化があったんですね。

鯨井　Twitter（現：X）で翻訳の進捗をツイートしていたら、水上さんがよく反応してくださっていて……という伏線があり。あと、完成したときにフォロワーさんが「どこかに持ち込んだら」と言ってくださったんです。でもレジュメの作り方とかわかんないなあ……ってツイートしてたら、古沢嘉通先生が何も言わずにスッと過去に先生が作られたレジュメをご自身のnoteに投稿してくださって。直接やり取りがあったわけではないですが、そういう意図だったと思ってとても感謝しています。そちらを参考に、竹書房さんに持ち込みをしました。

——鯨井さんからメールをいただいた時は「おっ、ついに来たな」と思いましたよ。「うちでいいんですか」とは確認しましたが。それで読んでみて「これはめちゃくちゃで、いいな」と思って企画を通しました。ただ版権を取るまでがちょっとゴタゴタしましたね。それで一年くらいお待たせしました。ちなみに、いまクリストファー・プリーストがスラデックの版権を持ってるんですよ。

鯨井　プリーストが元気でいてくれてよかった。

■SF界に「事件を起こせ」

——明言しておきたいのですが、あのタイトルは編集者の独断と偏見でつけました。

鯨井　原題そのままじゃちょっとパンチが弱いよなあとは思いつつ、良い案が出せていなかった僕は「そうか、十倍にする手があったか！」と。

——文字数を食うので書評する側からしたら

ご迷惑でしょうし、読者にとってもわかりづらかったり、色々な点で忌避されるタイトルだとは思うのですが、僕はもうその考え方自体が出版業界のルールに毒されていると思っていて。作品の持つ熱量が伝わるのが一番だと思ってつけました。なので、鯨井さんを責めないでほしい。

　ところで、鯨井さんは作中ではどの場面が一番好きですか。

鯨井　えー、撃ち殺されるところ？

――大勢撃ち殺されてますけど（笑）。

鯨井　ほほえみジャックのところですかね。途中までロボットと人間のアツい友情物語が……！　と思ってたら、いきなりハードボイルドな展開になる。その落差が翻訳していても印象的でした。あと、チク・タクがほほえみジャックを殺した後にタクシーを拾うんですが、その運転手の言葉を関西弁にしたんですよ。ここはもう、原文を読んだ瞬間にそう聞こえてきて。このシーンは恐ろしい出来事と日常の落差があるし、関西弁なら庶民的な、なんともいえない面白さと哀しさがアクセントになるんじゃないかと思って。効果的にやらないとあざとくなりそうだし、自分としては冒険だったんですけど、読者の方からもお褒めの言葉をいただいたりして、やって良かったなと思ってます。

――AI問題と関連させて読んでいる人も多かったですね。

鯨井　ちょうど画像生成AIが出てきたタイミングで出せたので。ちょうど今年だからこそ読まれて、この結果になったのかも。

――「事件を起こしましょう」みたいなメールのやりとりもありましたね。

鯨井　「事件を起こせ」っていうのは、ウエストランドという漫才師が一昨年M‐1グランプリの決勝に出たときに、事務所の先輩である爆笑問題の太田さんがかけた言葉なんですね。彼らも独特な芸風でM‐1という番組でまさに「事件」を起こして優勝を勝ち取ったので、水上さんから刊行前にそういう言葉をもらって、実際に1位になって事件を起こせて、感慨深かったですね。

――令和にスラデックが1位を取るというのは、まさしく事件でした。

鯨井　「スラデックはすれっからしのマニア向けのアイドルだ」と大森望さんが『スラデック言語遊戯短編集』の解説で書かれていましたが、スラデックのファンとしては、今回の1位はある種最上級の推し活だったんじゃないかと思います。

■翻訳と医療

――今後も企画を立てつつ、医者もやりつつで大変ですね。

鯨井　医者としての仕事はそれなりにセーブしていて、あとは翻訳とか本を読むのに使っているので、本当に恵まれた環境なんですよ。それを、微力ですがSF界や文芸業界に還元していければいいですね。

――翻訳者としての今後の展望は。

鯨井　やっぱり一番は、自分が面白いと思ったものを届けたい。そうやって信頼を積み重ねていって、柴田元幸先生や岸本佐知子先生みたいな「この訳者なら面白いだろうな」と思われるレベルまで到達してみたいですね。そのためには驕らず一歩一歩進んでいしかないと思っています。

――デビュー翻訳で1位を獲る人なんて初めてじゃないですかね。しかも訳者略歴には勤務した病院名が書いてある（笑）。

鯨井　そうですね。去年の『SFが読みたい！』にはインタビュアーとして参加したんですが、今年はインタビューされる側になってしまった（笑）。あと、僕が以前勤務していた病院って精神科の病院としては結構歴史のあるところで、筒井康隆の「将軍が目醒めた時」という短篇の舞台にもなっているんですよ。それもあって、ここで働きたい！　と思って。

――そんな理由で。

鯨井　聖地巡礼みたいな感じで（笑）。面接でも精神医学と絡めてイーガンの「しあわせの理由」の話をしたら、すごくウケて採用が決まったんです。つまり、精神科医になれたのは筒井康隆先生とイーガンと、山岸真先生のおかげです。

――結論としてはなんかヘンな人でした。

（二〇二三年十二月二十六日／於・早川書房）

鯨井久志監修

ジョン・スラデック邦訳作品全レビュー

鯨井久志／坂永雄一／白川眞／林哲矢／伴名練／鷲羽巧

ジョン・スラデックの邦訳がある作品を、原書刊行順に解説する。

黒いアリス

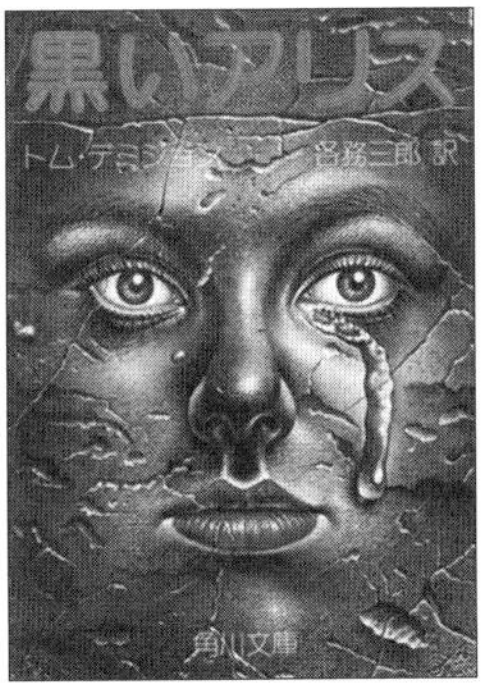

各務三郎訳／角川文庫

少女アリスはろくでなしの父親の策略によって、遺産相続権を巡る自作自演の誘拐に遭ってしまう。しかも、誘拐先で日焼け用の薬を飲まされ、外見上は黒人になってしまうのだ。アリスは差別や悪漢どもの策略をくぐりぬけ、無事逃亡できるのか……？　作者のトム・デミジョンとは、スラデックとその盟友トマス・M・ディッシュの共作ペンネーム。キャリア初期の作品ということもあって、後の作品でロボットに仮託して描いたモチーフが、より直接的に黒人差別という形に現れている。特に父親の名前が「ロデリック」である点や、「娘は黒人と認めたのだから減刑されるだろう」と逮捕後に言ってのける点（これは『チク・タク～』終盤の論理に近い）は興味深い。スラデックの「ロボット以前」のモチーフを探る意味での重要作。（鯨井久志）

黒い霊気

風見潤訳／ハヤカワ・ポケット・ミステリ

休暇でロンドン滞在中のアメリカ人ミステリマニア、サッカレー・フィン。趣味で私立探偵をはじめた彼だったが、あまりにも依頼が来ないため持て余した謎解き欲求をオカルトに向けることにした。ところが、入り込んだ〈霊気マンダラ協会〉では古代エジプトの呪いの護符による連続殺人が発生。フィンは大喜びでこの謎に挑戦する。クリスティーらを審査員とするミステリコンテストに入賞した短篇「見えざる手によって」につづく、サッカレー・フィンものの第二作。ミステリというジャンルに忠実で、ＳＦやパズル小説を書くときの過剰な奔放さに欠けるのは寂しいが、フィンの愛にあふれるミステリ語りと、当たるを幸い切り捨てる霊媒師のトリック暴きは、オカルト好きかつミステリ好きのスラデックならではの良さがある。（林哲矢）

見えないグリーン

真野明裕訳／ハヤカワ・ミステリ文庫

〈素人探偵七人会〉のメンバーを次々と襲う死。壁や視線をすり抜けるように不可能犯罪を重ねる「グリーン」とは何者か？　ＷＨＯ／ＨＯＷ／ＷＨＹ三拍子揃った王道の本格ミステリ。合間には言葉遊びやなぞなぞが横溢し、マニア受けするネタにも事欠かない。解決にあたっては優れた発想が惜しみなく投下され、さり気ない手がかりや細部の処理も実にスマート。総じて端正なパズル・ストーリーだ。奇才という作家評には不似合いなほどに。

ここに探偵小説の逆説がある。本格ミステリにあっては、小説がパズルに接近するほど——人間を戯画化し、論理に組み込み、細部までこだわるほどに、王道に近づいてしまうのだ。スラデックの大真面目な書きぶりは、パズルと小説が結びつくときの快楽の裏で、そんな歪みも照らし出している。（鷲羽巧）

スラデック言語遊戯短編集

越智道雄訳／サンリオＳＦ文庫

本書解説にて、若き日の大森望氏がスラデックを「すれっからしマニアのアイドル」と評してからはや四十年。無敵の狂気でＳＦ界を荒らしたスラデックは、まさに金輪際現れない一番星の……と思わず歌いたくもなる、サンリオＳＦ文庫の中でも極北に位置するであろう一冊。原題の『キリンを燃やし続けろ』はダリの「燃えるキリン」からの引用。大森氏が鋭く指摘しているように、本書に収められた短篇は一見シュールに思えるが、いずれも作者流の論理に貫かれている。人間関係を橋の断面図で表現すると解ける謎、看守を煙に巻くパラドックス、九つの語りのレベルからなる物語の組み合わせ等々。理解の範疇を超えている作品も多いが、結局のところ笑わせにかかっているのだと思って、肩の力を抜いて読むのがおすすめ。（鯨井久志）

ロデリック

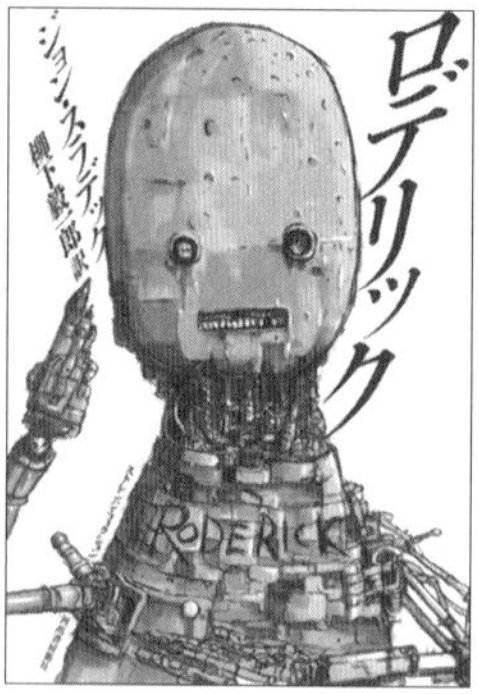

柳下毅一郎訳／河出書房新社

大学で秘密裏に開発されていたロボット・ロデリックは、ある日資金が断たれ、不本意にも大学から放り出されてしまう。幼いロデリックは市井の人々から何を学び、どう育っていくのか……。「才能の使い道がわかっていなかった天才」スラデックの著したおそらくは最高傑作。無垢ゆえに矛盾を突くロデリックと、それに翻弄される人間たちのありさまをユーモアと小ネタたっぷりに描きながら、人間らしくなっていくロボットとロボットらしくなっていく人間とのあいだに果たして境界が存在するのか、自由意志の問題を絡めて読者に問う。それは同時に、不条理極まりない世界で生きる人間の不条理さを、条理でしか動けない機械の知性を通して逆に照射する行いでもある。本作のユーモアの根源、それはあまりにも深い。（鯨井久志）

チク・タク・チク・タク・チク・タク・チク・タク・チク・タク・チク・タク・チク・タク・チク・タク・チク・タク・チク・タク

家庭用ロボット、チク・タクが実験と称して殺人を繰り返し、皮肉にも人間界で成功者の階段を上っていく。過剰なまでのブラック・ユーモアに貫かれた本作には、異様なアイデアが隅々までぎっしり詰めこまれており、スラデックの奇才ぶりを十分に堪能できる。

四十年前の小説ではあるが、その皮肉は現代でこそ切実に響く。倫理観が壊れているがゆえに成功していくチク・タクの姿に、現代アメリカの最低な成功者たちの顔が浮かぶことだろう。しかし、読み進めるとダーク・ヒーローとしてのチク・タクを応援してしまいたくなる自分もいると気がつくのが、この小説の恐ろしいところだ。社会に辟易している人なら思うはずだ。「チク・タク、もっと上りつめて、この世界が完全に狂っていることを証明してくれよ」と。

（白川眞）

鯨井久志訳／竹書房文庫

遊星よりの昆虫軍X

チク・タクは、人の愚かさを外から暴く視点としてのロボットだったが、後に書かれた本作でのロボットは、人の愚かさの一部である。それの名前はロボットM、あるいはロビンソン。軍用ロボットとして開発され、狂ったIT技術者によって自意識に目覚めた。しかし求職中の作家である主人公フレッドが『フランケンシュタイン』と『一九八四年』を読んでやったばっかりに、それは被造物コンプレックスと、「戦争は平和だ」式のパラドックスに取り憑かれてしまう。フレッドがアメリカの狂騒に振り回され、人間性を食い荒らす昆虫の悪夢に苦しむ本筋の裏拍として、ロビンソンは『フランケンシュタイン』の筋書きをなぞろうとフレッドに執着する。やがて両者は元ネタ以上に悲劇的で虚しいクライマックスへ至る。

（坂永雄一）

柳下毅一郎訳／ハヤカワ文庫ＳＦ

蒸気駆動の少年

幼少期の独裁者を蒸気駆動ロボとすり替える作戦が招く異様なタイムパラドックス。本たちが空を飛んで渡り鳥と化す騒動。破滅の迫る宇宙船内で語られる陰謀論。重力が存在しないという妄想のトンデモ論証。ヘンゼルとグレーテルの残酷改変。読者の不安を煽る謎のアンケート。知的悪ふざけの粋たる作品群は、筒井康隆・清水義範・野﨑まど等の短篇の愛好者にも刺さるものだろう。奇想・パロディ・オカルト・ミステリなど、ＳＦ作家偽作《パスティーシュ》を除くスラデック全芸風の傑作怪作を網羅した感もある充実ぶりで、短篇集二冊ではこちらを推す。本物人間から隠れて暮らす人々の悲哀を描く「ゾイドたちの愛」を読めば、マッドな作風の根幹を支えたものが理性と良識だったと確信が持て、異質な本作を敢えて収録した編者にも拍手。

（伴名練）

柳下毅一郎＝編／河出書房新社
《奇想コレクション》

マイ・ベスト5 国内篇

全アンケート回答83名
（回答者50音順）

SF界で活躍する作家・評論家・翻訳家の方々に、2023年度（2022年11月〜2023年10月）の新作SFから、印象に残った国内作品5点を選んでもらいました。

掲載作品については、158ページからの「2023年度　SF関連書籍目録」に書誌情報の記載があります。また、右記の期間外の作品については、※印をつけ集計の対象外としました。

縣　丈弘
ときどきライター

①『わたしたちの怪獣』久永実木彦
②『あなたは月面に倒れている』倉田タカシ
③『アナベル・アノマリー』谷口裕貴
④『シュレーディンガーの少女』松崎有理
⑤『破壊された遊園地のエスキース』青島もうじき

結果的にすべて短篇集となってしまった。①、②作風は異なれど、個々の問題意識やSF観を創作へ託す有様に共通するものを感じる二冊だった。③埋もれた傑作が書き下ろし二篇を加えて完結。今読んでも十分に濃密な超能力SFで堪能した。④清新かつ円熟の作品集。⑤青島もうじきは昨年の収穫。長篇『私は命の縷々々々々々』も面妖かつリリカルな小説でよかった。次点は宮澤伊織『ときときチャンネル　宇宙飲んでみた』。

秋山　完
作家

●『令和その他のレイワにおける健全な反逆に関する架空六法』新川帆立
●『ときときチャンネル　宇宙飲んでみた』宮澤伊織
●『ダイダロス』塩崎ツトム
●『AIとSF』日本SF作家クラブ＝編
●『人間非機械論　サイバネティクスが開く未来』西田洋平

中世風ラノベの隆盛、終戦直後のゴジラ、札幌五輪の断念や2025万博への批判など、私たちは未来に幻滅している。SFへの期待は「明るい未来を語る」よりも「今どうすれば、未来が明るくなるか」では？　AIはどうか。機械の思考が人間化し、人間の思考が機械化してゆく時代、大衆は人間の政治家よりもHAL9000やコロサスの支配を望むのではないだろうか。「それでもAIの方が、モラルが高い」と。

天野護堂
SF愛好家

①『毒と薬の蒐集譚』医療系雑貨生みたて卵屋
②『大東亜忍法帖〔完全版〕』荒山徹
③『一休どくろ譚・異聞』朝松健
④『黄金蝶を追って』相川英輔
⑤『最果ての泥徒《ゴーレム》』高丘哲次

毎年読者の心のオアシスとなる作品を提供して頂いている作家の皆様、ありがとうございます。他に気になる作品として、宮澤伊織『ときときチャンネル』、京極夏彦『鵼《ぬえ》の碑』、背筋『近畿地方のある場所について』、志倉凍砂『波の鼓動と風の歌』、佐藤さくら『瀬戸内海の見える一軒家　庭と神様、しっぽ付き』、谷口裕貴『アナベル・アノマリー』、梶尾真治『未来のおもいで　白鳥山奇譚』などがありました。後、なろう系沢山にもお世話になりました。

あわいゆき　書評家

①『奇病庭園』川野芽生
②『私は命の縷々々々々』青島もうじき
③『それを世界と言うんだね　空を落ちて、君と出会う』綾崎隼、花譜、カンザキイオリ
④『ダイダロス』塩崎ツトム
⑤『休館日の彼女たち』八木詠美

イマジネーションを連鎖させて美しく壮大な物語を編み上げた①が今年は頭ひとつ抜けていました。②はテン年代百合ＳＦの文脈にあった「関係性」自体を描く青春ＳＦ（百合ではない）。③は幼心くすぐるＳＦ・冒険・ミステリが絡み合う良質エンタメ。④⑤は勝ち負け抗争とナチス残党を組み合わせる、人間とヴィーナス像のシスターフッドを描く発想がそれぞれ秀逸。書籍化は間に合わなかったものの、九段理江「しをかくうま」も良作。

いするぎりょうこ　ＳＦ&ファンタジー・ファン

①『オーラリメイカー〔完全版〕』春暮康一
②『金星の蟲』酉島伝法
③『アブソルート・コールド』結城充考
④『神々の宴　オーリエラントの魔道師たち』乾石智子
⑤『鵺《ぬえ》の碑』京極夏彦

結局徒労に終わってしまった仕事に時間をとられて、今年はあまり読めなかった。『オーラリメイカー〔完全版〕』と『金星の蟲』は、引っかかることなく没入できる、緻密な設定が嬉しい。『アブソルート・コールド』は好みのタイプのＳＦ。『神々の宴』で馴染みの世界を再訪、『鵺《ぬえ》の碑』では京極ワールドのキャラクターたちとの再会を楽しんだ。

礒部剛喜　ＵＦＯ現象学者

①『ＳＦのＳは、ステキのＳ＋』池澤春菜＝監修
②『現代ＳＦ小説ガイドブック　可能性の文学』池澤春菜
③『仮面物語　或は鏡の王国の記』山尾悠子
④『アメリカ文学と大統領　文学史と文化史』巽孝之＝監修
⑤『わたしたちの怪獣』久永実木彦

②は最新ＳＦガイドブックとして最適。ＳＦの何を読むべきかのロードマークスは必要だ。④は直接的にＳＦ論とは無関係だが、現代ＳＦがアメリカ文学の潮流のなかで成長してきた以上、必読と言っていいのではないだろうか？

市田泉　翻訳家

①『わたしたちの怪獣』久永実木彦
②『祝福』高原英理
③『奇病庭園』川野芽生
④『明智卿死体検分』小森収
⑤『黄金蝶を追って』相川英輔

各作品でいちばん心に残ったのは、①絶望的な状況で人を動かすものの切実さ。②個人が意識的に発するのとは種類の異なる言葉を文字で読む驚き。③モザイク画のように美しい構成。④ただでさえおいしい素材の贅沢なとり合わせ。⑤不思議と向き合う人々の孤独でまっすぐな佇まい。

岩郷重力　アートディレクター

●『ＡＩとＳＦ』日本ＳＦ作家クラブ＝編
●『サイケデリック・マウンテン』榎本憲男
●『コスタ・コンコルディア　工作艦明石の孤独・外伝』林譲治
●『伊桜里　高校事変　劃篇』松岡圭祐
●『ＬＡＳＴ　東京駅おもてうら交番・堀北恵平』内藤了

卯月 鮎
書評家・ゲームコラムニスト

●『回樹』斜線堂有紀
●『奇病庭園』川野芽生
●『令和その他のレイワにおける健全な反逆に関する架空六法』新川帆立
●『禍』小田雅久仁
●『ゼルダの伝説　ティアーズ オブ ザ キングダム』（ゲーム）

『回樹』は死と弔いに関する奇想が灰から生まれたダイヤモンドのように輝く。『奇病庭園』は磨き抜かれた言葉の結晶がこぼれ出す小箱。『令和その他の～』は法という額縁に飾られた鏡が現実を歪んで映し出す。『禍』はアルチンボルドの肖像画のオブジェが炸裂し、耳に、口に、鼻に飛び込んできたかのような強烈な衝撃。『ティアキン』は時間SFとクラフトの硬質さを『ゼルダ』特有の不気味さが覆い尽くすバランス感が光る。

榎本 秋
作家

①『時を追う者』佐々木譲
②『勇者症候群』彩月レイ
③『障害報告　システム不具合により、内閣総理大臣が40万人に激増した事象について』長谷川京
④『ウィザーズ・ブレインX　光の空』三枝零一
⑤『ウは宇宙ヤバイのウ！〔新版〕』宮澤伊織

①は満州事変を阻止して未来を変えられるか！　をテーマに、手に汗に握る展開で惹きつけられる歴史改変冒険もの。②は「異世界転生・なろう系」ブームを経験した今だからこそ興味深い、勇者という存在を考える一冊だった。③は現代日本のシステムの中で非常に興味の惹かれる導入で物語が始まる短篇集。④はアフターホロコーストものの名作シリーズ、いよいよの完結篇を。⑤は新版にあたって主人公の性別を女性に変えた話題作。

海老原豊
SF評論家

●『走馬灯のセトリは考えておいて』柴田勝家
●『わたしたちの怪獣』久永実木彦
●『世界の終わりのためのミステリ』逸木裕
●『そして、よみがえる世界。』西式豊
●『最果ての泥徒』高丘哲次

今年は、ミステリやファンタジーにカテゴライズされる作品にも面白いものがあった。仮想現実空間や人のいない世界での殺人（犯罪）とは何か？　は興味深いテーマである。VR環境が社会のデフォルトとなりつつある現在、さらに一歩二歩進んだ世界をSFには提示してもらいたい。

大阪大学SF研究会
大学サークル

①『馴染み知らずの物語』滝沢カレン
②『近畿地方のある場所について』背筋
③『走馬灯のセトリは考えておいて』柴田勝家
④『この夏の星を見る』辻村深月
⑤『ウは宇宙ヤバイのウ！〔新版〕』宮澤伊織

『馴染み知らずの物語』は、既存の作品タイトルを自己流に組み替えてオルタナティブを構想していく仕草こそがSF的想像力そのものであり、内容と形式が一致した傑作だった。ネット上で話題になった『近畿地方のある場所について』は、内容もさることながら装丁にも細かな拘りが見られる。SFに対して「信仰」を問い続けた『走馬灯のセトリは考えておいて』は、表題作と「クランツマンの秘仏」の相乗効果が素晴らしかった。

大戸又
会社員・アンソロジスト（野生）

①『あなたは月面に倒れている』倉田タカシ
②『アナベル・アノマリー』谷口裕貴
③『金星の蟲』酉島伝法
④『オーラリメイカー〔完全版〕』春暮康一
⑤『奇病庭園』川野芽生

①待望の著者第一短篇集。特に「二本の足で」「再突入」が素晴らしい。さりげない表

現の背後にも世界の細部が見える。②サイキックSFのニュースタンダード。鮮烈な現実変容描写が白眉。今ならSCPを補助線にすると読みやすいはず。③は文庫化、④は完全版でどちらも既刊だが読んでいないなら必読。⑤怪奇幻想なら今年一番はこれです。

大野典宏
ただの一読者

●『花と機械とゲシタルト』山野浩一
●『シュレーディンガーの少女』松崎有理
●『トランジスタ技術の圧縮　新たなる旅立ち　トランジスタ技術　2023年3月号創刊700号記念特別企画 別冊付録2』CQ出版
●『LOG-WORLD』八杉将司
●『八杉将司短篇集　ハルシネーション』八杉将司

今年のベストは個人的な理由によるものです。

大野万紀
SF翻訳家・書評家

①『グラーフ・ツェッペリン　あの夏の飛行船』高野史緒
②『わたしたちの怪獣』久永実木彦
③『走馬灯のセトリは考えておいて』柴田勝家
④『ドードー鳥と孤独鳥』川端裕人
⑤『AIとSF』日本SF作家クラブ＝編

今年も多くの傑作を積ん読のままにしてしまった。読んだ中では①が地方都市を舞台にした青春SFでかつ本格SFの傑作だった。②も不条理なできごとと日常性を重ねて読み応えがある。③はとにかく表題作がいい。④は絶滅した鳥とその復活をめぐる近未来ノンフィクションだが、それってつまり近未来SFでしょう。⑤はとてもタイムリーな企画。とりわけ斧田小夜「オルフェウスの子どもたち」が素晴らしかった。

大森 望
SF業

①『禍』小田雅久仁
②『回樹』斜線堂有紀
③『ときときチャンネル　宇宙飲んでみた』宮澤伊織
④『わたしたちの怪獣』久永実木彦
⑤『グラーフ・ツェッペリン　あの夏の飛行船』高野史緒

国内SFは長篇より短篇が目立った。①は身体各部に焦点を当てたホラー系幻想小説集。グロさもエロさも最上級。それと双璧をなす②は、とりわけ「BTTF葬送」と「骨刻」の奇想がすばらしい。③は超強力なバカSFネタをコント的シチュエーションに惜しげもなく注ぎ込んだユーモア百合SF連作集。④はうちの近所が怪獣に蹂躙される表題作ともども「『アタック・オブ・ザ・キラートマト』を観ながら」を推したい。⑤は長篇代表。

岡田靖史
飲食店店主

①『黄金蝶を追って』相川英輔
②『グラーフ・ツェッペリン　あの夏の飛行船』高野史緒
③『ときときチャンネル　宇宙飲んでみた』宮澤伊織
④『走馬灯のセトリは考えておいて』柴田勝家
⑤『ドードー鳥と孤独鳥』川端裕人

以下に順位には漏れたがどれもがとても楽しく読めた作品たちをあげておく。『わたしたちの怪獣』『ウは宇宙ヤバイのウ！〔新版〕』『金星の蟲』『アナベル・アノマリー』『バイオスフィア不動産』『オーグメンテッド・スカイ』『オーラリメイカー〔完全版〕』『シュレーディンガーの少女』。

岡野晋弥
編集者／レビュアー

①『アブソルート・コールド』結城充考
②『走馬灯のセトリは考えておいて』柴田勝家
③『黄金蝶を追って』相川英輔
④『大阪SFアンソロジー　OSAKA20

45』正井＝編
⑤『ミリは猫の瞳のなかに住んでいる』四季大雅

①は、サイバーパンク的なディストピアの空気をまとった世界観が、クールな文章とよく合う。②の、死生観とVTuber文化が融合した表題作は、著者だからこそ書ける一作。③は身近な情景にちょっとした不思議が入り込んできて、何だかほっとする短篇集だ。④はVG＋の記念すべき地域アンソロジー第一弾。なかでも「アリビーナに曰く」はもっと知られてほしい。⑤はSF要素のあるミステリで、最後まで気が抜けない。

岡本俊弥

SFブックレビュアー

●『標本作家』小川楽喜
●『NOVA　2023年夏号』大森望＝編
●『AIとSF』日本SF作家クラブ＝編
●『わたしたちの怪獣』久永実木彦
●『グラーフ・ツェッペリン　あの夏の飛行船』高野史緒

今年はまずハヤカワSFコンテストから特異さが際立つ一篇を選んだ。アンソロジイからは、女性作家集結の『NOVA』と、話題沸騰のAIものを選択。他でもユニークな地域SF『OSAKA2045』&『ここに浮かぶ景色』も目を惹いた。『SF超入門』、翻訳や、『現代SF小説ガイドブック』、『サイエンス・フィクション大全』など、概説書・入門書が相次いで出たのは良い傾向だろう。

岡和田晃

SF評論家・作家

●『甲府物語』飯野文彦
●『メイルドメイデン　A gift from Satan』健部伸明
●『雲の名前』佐峰存
●『ザイオン・イン・ジ・オクトモーフ　イシュタルの虜囚、ネルガルの罠』伊野隆之
●『戯曲絵本　カラクリ匣《ばこ》』林田こずえ

順不同。作品の質が顧みられなくなった国内SFシーンに抗いたい。『甲府物語』は地域性の問い直しと恐怖の提示が嚙み合う。同版元の八杉将司本二冊も重要。『メイルドメイデン』は著者の初期の仕事を集大成させつつ、ムアコックやSPI〈ドラゴンクエスト〉への返歌まで盛り込む。『雲の名前』は第一詩集よりも飛躍的に完成度が向上、アメリカ詩に学んだ成果が発揮された。『ザイオン』は評者の立場を措いてもなお、筆力において一頭地を抜く。『カラクリ匣《ばこ》』にはマニエリスム的なブリコラージュのセンスがある。

オキシタケヒコ

SFものかき

●『あなたは月面に倒れている』倉田タカシ
●『ときときチャンネル　宇宙飲んでみた』宮澤伊織
●『金星の蟲』酉島伝法
●『わたしたちの怪獣』久永実木彦
●『シュレーディンガーの少女』松崎有理

相変わらず数を読めてないのはさておく。

尾之上浩司

怪獣小説翻訳家

①『ときときチャンネル　宇宙飲んでみた』宮澤伊織
②『デモンズ・クレスト1　現実∽侵食』川原礫
③『「これから何が起こるのか」を知るための教養　SF超入門』冬木糸一
④『金星の蟲』酉島伝法
⑤『ウは宇宙ヤバイのウ！〔新版〕』宮澤伊織

未来の動画チャンネル設定の、連作短篇集①の心地よさ、面白さ。今のエンタメSFって、これだよ。「そのへんからさっき汲んだばかりの、生の宇宙」とか、楽しい台詞がてんこ盛りw　一九五〇年代もの好きなSFファンにもお勧め。SAOの川原氏の新シリーズ②。観た目よりも入りやすいSFガイドだった③。昭和文芸の匂いがする④。そして、

①の作者の原典ともいうべき⑤は、僕がオリジナル版愛好者なので。

小山正
ミステリ研究家

①『腿太郎伝説（人呼んで、腿伝）』深堀骨
②『仮面物語　或は鏡の王国の記』山尾悠子
③『地羊鬼の孤独』大島清昭
④『殲滅特区の静寂　警察庁怪獣捜査官』大倉崇裕
⑤『AIとSF』日本SF作家クラブ＝編

読者を選ぶ作家だが、超ヘンな小説を書く世界的鬼才・深堀骨の長篇『腿太郎伝説』がうれしい。あまりのアヴァンギャルドさに、五ページ読んだら脳味噌が爆発しそうになった。相変わらず〈反文学〉だなあ（詳しくは別の機会に）。『地羊鬼の孤独』は警察小説と怪談の見事な融合。中国由来の恐怖ネタが「奇妙な味」を醸し出している。この作品といい、『殲滅特区の静寂』といい、細部に愛と魂が宿ったSFミステリが好きだなあ。

香月祥宏
書評家

①『わたしたちの怪獣』久永実木彦
②『アナベル・アノマリー』谷口裕貴
③『シュレーディンガーの少女』松崎有理
④『黄金蝶を追って』相川英輔
⑤『トゥモロー・ネヴァー・ノウズ』宮野優

①～③まで、いずれも危機に瀕した世界やディストピアを描く作品を並べたが、読み味はそれぞれ違う。現代SFが描くさまざまな破滅と絶望の景色を堪能した。④は奇想と細密な日常描写が溶け合う短篇集。新人では、ループものに清新な風を吹き込む⑤を推したい。今回は外したが小田雅久仁の『禍』も高品質の怪奇小説集だ。『AIとSF』『大阪／京都SF』などの書き下ろしアンソロジー、復刊、ガイド本なども充実した年だった。

勝山海百合
小説家

①『あなたは月面に倒れている』倉田タカシ
②『ドライブイン・真夜中』高山羽根子
③『禍』小田雅久仁
④『奇病庭園』川野芽生
⑤『祝福』高原英理

『あなたは月面に～』『ドライブイン・真夜中』日本に移民が増え、多文化・他民族社会になる未来だけでなく、日本人が難民として海外に居を移さざるをえない未来も想定する時期に来ていると思った。

鼎元亨
一介のSF者

●『グラーフ・ツェッペリン　あの夏の飛行船』高野史緒
●『わたしたちの怪獣』久永実木彦
●『走馬灯のセトリは考えておいて』柴田勝家
●『納戸のスナイパー』北野勇作
●『AIとSF』日本SF作家クラブ＝編

現実が神経を苛むので、優しい作品ばかり選んでしまった。現実から逃避してばかりはいられないが、時代が惨いのでは内的世界に逃げても許されよう。番外どころかジャンル違いだが伊藤尋也『土下座奉行』を。『魔法少女禁止法』の伊藤ヒロの別名義だがバカSFの風格がある。土下座というプロトコルを武器に政治的課題まで解決するのが痛快。七〇年代の中間小説を今読みたい気分。

川合康雄
SFアート研究家

●『回樹』斜線堂有紀
●『ダイダロス』塩崎ツトム
●『グラーフ・ツェッペリン　あの夏の飛行船』高野史緒
●『あなたは月面に倒れている』倉田タカシ
●『ときときチャンネル　宇宙飲んでみた』宮澤伊織

どの作品も（短篇と長篇の違いはあっても、それぞれの印象は全く違っていても）ページをめくらせる力にあふれている。そんな作品を選んだ。

北原尚彦
作家・翻訳家

①『ときときチャンネル　宇宙飲んでみた』宮澤伊織
②『グラーフ・ツェッペリン　あの夏の飛行船』高野史緒
③『わたしたちの怪獣』久永実木彦
④『シュレーディンガーの少女』松崎有理
⑤『惑星まほろば』太田忠司

今年は（今年も？）日本SFの収穫が豊かだった。特に①と②は、最後までどちらを一位にするか苦悩。元物理専攻だったがゆえに①に軍配を。語り口は軽いですが、これ滅茶苦茶凄いハードSFですよ。②は新たな青春SFのスタンダード。③④は中・短篇集好きにはたまりません。⑤は連作ショートショート好篇。番外に二冊の絵本、津原泰水・作／宇野亜喜良・絵『五色の舟』、林田こずえ・作／YOUCHAN・絵『カラクリ匣《ばこ》』を。

日下三蔵
SF研究家

①『グラーフ・ツェッペリン　あの夏の飛行船』高野史緒
②『本の背骨が最後に残る』斜線堂有紀
③『わたしたちの怪獣』久永実木彦
④『惑星まほろば』太田忠司
⑤『ありふれた金庫』北野勇作

今年は①を読めただけで大満足、と書くつもりだったが、密度の濃い短篇集が大豊作で、残り四つの枠にも、まったく入り切らなかったのはうれしい誤算だ。《異形コレクション》シリーズのレベルの高さを痛感させる②、短篇でSF大賞候補という前代未聞の作品を表題とした③、作品だけでなく造本も凝りまくりの④、《100文字SF》シリーズ待望の書籍化の⑤を、とりあえず挙げておいたが、他にもいい短篇集が本当に多かった。柴田勝家『走馬灯のセトリは考えておいて』（ハヤカワ文庫JA）、谷口裕貴『アナベル・アノマリー』（徳間文庫）、斜線堂有紀『回樹』（早川書房）、八杉将司『ハルシネーション』（SFユースティティア）、小田雅久仁『禍』（新潮社）、相川英輔『黄金蝶を追って』（竹書房文庫）、飯野文彦『甲府物語』（SFユースティティア）などである。その他の長篇では、高丘哲次『最果ての泥徒』（新潮社）高丘哲次と多崎礼《レーエンデ国物語》シリーズ（講談社）が面白かった。

草野原々
SF作家

①『大雪海のカイナ』武本糸会
②『グラーフ・ツェッペリン　あの夏の飛行船』高野史緒
③『ウは宇宙ヤバイのウ！〔新版〕』宮澤伊織
④『ときときチャンネル　宇宙飲んでみた』宮澤伊織

アニメ『大雪海のカイナ』および映画『大雪海のカイナ　ほしのけんじゃ』はひさびさに見たスタンダードな冒険SFでワクワクした。映像SFを見るうえで最も重要視している「見たこともない景色が見たい」という欲求を存分に満たすことができた。

鯨井久志
書評家・翻訳家・精神科医

①『あなたは月面に倒れている』倉田タカシ
②『禍』小田雅久仁
③『わたしたちの怪獣』久永実木彦
④『回樹』斜線堂有紀
⑤『闇の精神史』木澤佐登志

①世界レベルの短篇集。早急に翻訳されて何らかの賞を穫るべき。②圧倒的な筆力で現実の裏に潜む異界への回路を描く力作。③ぼくも『アタック・オブ・ザ・キラートマト』大好きです。④ミステリもホラーもSFも描ける斜線堂有紀、すごすぎる。⑤ユートピア論としてSF的想像力をかき立てる好著。これ以外にも佳作が多くて選ぶのに苦労しました。マンガではこかむも『クロシオカレント』が高知×マジックリアリズムでよいです。

慶應義塾大学SF研究会
大学サークル

①『祝福』高原英理
②『禍』小田雅久仁
③『仮面物語　或は鏡の王国の記』山尾悠子
④『幽玄F』佐藤究
⑤『冬にそむく』石川博品

①小説において言葉の持つ重み、意味、役割、影響は全て後から付随する。そのすべてがエクリチュールの「祝福」である。②人体をめぐる七つの奇想。特に「裸婦と裸夫」が異様。③精緻に構築された幻想世界は妖しく光る。時の流れに晒されても、その魅力は減じていない。④空と戦闘機に取り憑かれた者の一代記。新たな戦闘妖精とでも言うべき鮮烈さ。⑤何かが損なわれた世界で、それでも得ようと彼・彼女はもがく。そして私たちも。

紅坂 紫
作家・翻訳家

①『天號星』中島かずき
②『黄金蝶を追って』相川英輔
③『走馬灯のセトリは考えておいて』柴田勝家
④『幽玄F』佐藤究
⑤『私は命の縷々々々々』青島もうじき

業も恨みも昔も、そして愛も未来も背負って走る天號の星に何度も涙した。『天號星』を読み返すたびにこれからも前に進むことができる、そんな気がしている。ことば、アイデア、遠くを眼差すストーリーテラーとしての手腕、そのすべてにおいて常に進化しつづける書き手、青島もうじきの第一長篇『私は命の縷々々々々』も見逃してはならない。

小谷真理
SF&ファンタジー評論家

①『本の背骨が最後に残る』斜線堂有紀
②『黄金蝶を追って』相川英輔
③『アブソルート・コールド』結城充考
④『アナベル・アノマリー』谷口裕貴
⑤『ドードー鳥と孤独鳥』川端裕人

斜線堂有紀は『回樹』も読み応えがあるが、発想のぶっ飛び方（グロさ?）では①がダントツ。ストレートなサイバーパンクSF③は寂寥感とロマンチシズムが同居しているところに痺れた。あと、高千穂遥さんのXで紹介されていた日向夏『薬屋のひとりごと』に乙女心をくすぐられた。

堺 三保
ライター

①『ラウリ・クースクを探して』宮内悠介
②『ドードー鳥と孤独鳥』川端裕人
③『オーグメンテッド・スカイ』藤井太洋
④『コスタ・コンコルディア　工作艦明石の孤独・外伝』林譲治
⑤『ときときチャンネル　宇宙飲んでみた』宮澤伊織

①〜③は狭義のSFから少し離れたところにある、現代性に溢れた作品として楽しみました。逆に④〜⑤は、SFならではの面白さを追求しているところがおもしろかったです。

坂永雄一
SF文筆業

①『あなたは月面に倒れている』倉田タカシ
②『アナベル・アノマリー』谷口裕貴
③『オーラリメイカー〔完全版〕』春暮康一

《NOVA》シリーズで「トーキョーを食べて育った」が発表された頃から楽しみにしていた倉田タカシの作品集をとうとう読めて本当に嬉しいです。

坂村 健
電脳建築

①『PLUTO』（アニメ）
②『走馬灯のセトリは考えておいて』柴田勝家
③『禍』小田雅久仁
④『時を追う者』佐々木譲
⑤『AIとSF』日本SF作家クラブ＝編

短篇集が当たり年の今年だが、あえてトップはアニメ版『PLUTO』を上げたい。正直言うと連載時はピンとこなかった。『未来の二つの顔』のような人間と異質な知性というAIがリアルと思っていたからだ。しかし実現した生成AIはネットの総体を元に学習したいわば人類文化の集大成。そういうファウンデーションモデルが逆方向に、身体性を持ち共感を学ぶというビジョンが今やリアル。テーマの「憎しみ連鎖」もガザ紛争で身近な現実へ浮上した。

佐倉きの
インフラエンジニア

①『私は命の縷々々々々』青島もうじき
②『夢に追われて』朝比奈弘治
③『そこまでして覚えるようなコトバだったろうか？』松波太郎
④『オーラリメイカー〔完全版〕』春暮康一
⑤『奇病庭園』川野芽生

①はずっと注目していた著者の初の長篇、大満足。②には日常と非日常の隙間に突き落とされ、③には脳みそを鷲掴みにされるような衝撃を感じました。④は冷酷なほどの公正さが好きです。⑤は文字で描かれた緻密な絵画のようで癖になります。なんとか頑張って五作品に絞りましたが、大豊作の楽しい一年でした。また文学フリマは年々SFのスペースが広がっており、同人誌にも読み応えのある作品が多かったです。

佐々木敦
思考家・批評家・文筆家

①『幽玄F』佐藤究
②『腿太郎伝説（人呼んで、腿伝）』深堀骨
③『あなたは月面に倒れている』倉田タカシ
④『破壊された遊園地のエスキース』青島もうじき
⑤『たまたま座ったところに〝すべて〟があり、それが直腸に入ってしまった。』惑星ソラリスのラストの、びしょびしょの実家でびしょびしょの父親と抱き合うびしょびしょの主人公

海外はエスエフらしいエスエフ、国内はエスエフらしくないエスエフが主流になってきてるような気も。そうでもないか。単に自分の好みかも？　よくわかりませんが今ひとつ決定打に欠ける年だったのではないかと。山野浩一『花と機械とゲシタルト』は嬉しかった。北野勇作の三冊はどれか一つを選べませんでした。白井智之『エレファントヘッド』は量子論SFミステリの怪作。小田雅久仁『禍』、河野咲子『水溶性のダンス』も良かった。

佐藤 大
脚本家

①『グラーフ・ツェッペリン　あの夏の飛行船』高野史緒
②『わたしたちの怪獣』久永実木彦
③『アナベル・アノマリー』谷口裕貴
④『私は命の縷々々々々』青島もうじき
⑤『あなたは月面に倒れている』倉田タカシ

今年は、結果的にいろいろなカタチで少年や少女が世界や社会と対峙していく物語を読んでいる一年。理不尽な状況や自らが望むことなく決められた常識といった現実に置き換えるとやるせない出来事を前に時に挫折、やがて乗り越えていく次世代の物語。そんな読書には、希望をもらうだけでなく、彼らに押しつけてしまった現状の息苦しさを醸成してしまった自分も含む大人世代への情けなさも感じてしまうところが、なんとも。

三方行成
小説家

①『ばくうどの悪夢』澤村伊智
②『地羊鬼の孤独』大島清昭
③『みみそぎ』三津田信三
④『蜘蛛の牢より落つるもの』原浩
⑤『骨灰』冲方丁

ホラーばかり読んでいました。

志村弘之
SF読者

①『シュレーディンガーの少女』松崎有理
②『秘伝隠岐七番歌合』田場狩
③『グラーフ・ツェッペリン　あの夏の飛行船』高野史緒

④『最果ての泥徒』高丘哲次
⑤『本の背骨が最後に残る』斜線堂有紀

八杉将司『ハルシネーション』『LOG-WORLD』遺作集。川端裕人『ドードー鳥と孤独鳥』宮内悠介『ラウリ・クースクを探して』はどちらも現在のひとの物語、あと絶滅動物、MSXの物語。林譲治《工作艦明石の孤独》は外伝『コスタ・コンコルディア』のほうも考えさせられる。相川英輔『黄金蝶を追って』も良かった、随分バラエティーに富んだ短篇集。柴田勝家『走馬灯のセトリは考えておいて』表題作は最近ドラマにも。

下楠昌哉　英文学者

①『祝福』高原英理
②『夢に追われて』朝比奈弘治
③『仮面物語　或は鏡の王国の記』山尾悠子
④『近畿地方のある場所について』
⑤『龍潭譚《りゅうたんだん》／白鬼女物語　鏡花怪異小品集』泉鏡花＝著、東雅夫＝編

①生き残り、くり返される言葉。消えゆく私、あるいは心。②縁あって出会えた幻想短篇集。死を見据えた佳品が並ぶ。③一九八〇年刊行の幻の長篇が素晴らしい装幀で。いつまでもこの城壁の中に封じられていたい。④怖すぎた。最後の袋とじを開けられない。⑤東雅夫氏よる見事な手際のアンソロジー。電書の時代だがこのセレクションが手軽に持ち運べるのはやはりうれしい。

十三不塔　作家

①『わたしたちの怪獣』久永実木彦
②『ゴリラ裁判の日』須藤古都離
③『AIとSF』日本SF作家クラブ＝編
④『大阪SFアンソロジー　OSAKA2045』正井＝編
⑤『秘伝隠岐七番歌合』田場狩

①と②に置いた両作には人間への明白な絶望があって読者として心底打ちのめされた。人間をやめたいと思わせる作品はSFとして正しい。『大坂SFアンソロジー』には快作（怪作）が多く、粉砕機に続くベルトコンベアに乗せられたような気分が味わえる。執筆者の顔ぶれは多岐にわたっているが、どの作品からも「大阪」の手ざわりが伝わってくる。千々にぶっ飛んでもいいぜ上等なひろげ過ぎ大風呂敷といえば『秘伝隠岐七番歌合』である。

水鏡子　SFロートル

①『ときときチャンネル　宇宙飲んでみた』宮澤伊織
②『標本作家』小川楽喜
③『回樹』斜線堂有紀
④『トゥモロー・ネヴァー・ノウズ』宮野優
⑤『メルヘンザッパーデストロイヤー　英雄になり損ねた男、最底辺スラムで掃除する』林トモアキ

軽SFのテンプレを、テンション高くきっちりまとめたベテランの小品⑤を押し込みたくて、本来上位に置くべき重厚な作品（集）をいくつか切った。⑤と同じスニーカー出身者による①は、語り口の軽妙な、二十一世紀版『レ・コスミコミケ』といえる逸品。構図と主題がSFから外れていくが圧倒的な読み応えの②。③は葬送の物語集として揃えきらなかったところが短篇集として惜しまれる。WEB系からは④の連作集を。

鈴木力　ライター

①『アナベル・アノマリー』谷口裕貴
②『沈没船で眠りたい』新馬場新
③『ときときチャンネル　宇宙飲んでみた』宮澤伊織
④『裏世界ピクニック8　共犯者の終り』宮澤伊織
⑤『ウは宇宙ヤバイのウ！〔新版〕』宮澤伊織

⑤は一迅社文庫版でも読んでいましたが、宮澤作品はどれも面白くて一本に絞り込めず、三作すべてに投票することにしました。作家単位でいえば今期のMVPはこの人だと思います。

代島正樹

SFセミナースタッフ

①『「これから何が起こるのか」を知るための教養　SF超入門』冬木糸一
②『あなたは月面に倒れている』倉田タカシ
③『わたしたちの怪獣』久永実木彦
④『ときときチャンネル　宇宙飲んでみた』宮澤伊織
⑤『真鍋博　本の本』五味俊晶＝編

①自己啓発のビジネス書の体裁でキーワード分類やチャートを用いた、本格的で新鮮なSF入門書。単著であるのも重要ポイント。SFの現在を切り取った『現代SF小説ガイドブック』も注目。②③④は同一叢書からになってしまうけど遠慮なくセレクト。「本」に特化した内容をオールカラー書影でまとめた⑤は、SFイラストの第一人者の業績が辿れる貴重な資料。その他、雑誌〈WIRED〉五十号が充実したSF特集だったのも収穫。

高島雄哉

小説家＋SF考証

①『この夏の星を見る』辻村深月
②『文学は地球を想像する　エコクリティシズムの挑戦』結城正美
③『サエズリ図書館のワルツさん』紅玉いづき
④『幽玄F』佐藤究
⑤『禍』小田雅久仁

SFを深化する方向と拡張する方向から。今年は素晴らしい作品が多く、最終的には主題や設定のあざやかさで五作に。

高槻真樹

SF評論・映画研究者

①特別展『恐竜図鑑　失われた世界の想像／創造』兵庫県立美術館
②『LOG・WORLD』八杉将司
③『ザイオン・イン・ジ・オクトモーフ　イシュタルの虜囚、ネルガルの罠』伊野隆之
④『大阪SFアンソロジー　OSAKA2045』正井＝編
⑤『甲府物語』飯野文彦

①は東京と神戸で開催された展覧会の図録。時代とともに変化した恐竜の復元図の変化をたどったもので、人間の想像力をテーマにした展示も野心的だったが、古い図鑑を模した図録の装幀が本当に素晴らしい。②ほどの傑作が著者の生前に書籍化できなかったのは痛恨だが、③⑤が実現したのはせめてもの救い。③の伊野隆之さんが、かくも痛快なユーモアを炸裂させたのは大いなる驚き。⑤の飯野文彦さんに芥川賞を！　割と本気である。

立原透耶

物書き、中華圏SF愛好家

●『わたしたちの怪獣』久永実木彦
●『グラーフ・ツェッペリン　あの夏の飛行船』高野史緒
●『惑星まほろば』太田忠司
●『ドードー鳥と孤独鳥』川端裕人
●『コスタ・コンコルディア　工作艦明石の孤独・外伝』林譲治

若いの充実した作品が多く、選ぶのに苦労したが結果としてはベテランが多い選出となってしまった。ここ数年選ぶのに苦労するほど豊作で、日本SFの新たなうねりを感じる次第である。

巽孝之

SF批評家

●『グラーフ・ツェッペリン　あの夏の飛行船』高野史緒
●『アブソルート・コールド』結城充考
●『ゴリラ裁判の日』須藤古都離
●『無限の月』須藤古都離
●『戯曲絵本　カラクリ匣《ばこ》』林田こずえ

二〇二三年は高野の年だった。土浦にドイツの飛行船が訪れたという史実を二つの時間線から再解釈し、今はなき何かと誰かへの思いを合理的に実体化しようとした本書にはSFの真髄がある。真っ向からサイバーパンク的伝統に挑む結城も読み応え十分。他方、こ

の年は新人・須藤の年でもあった。デビュー作のサイボーグ・フェミニズム、第二作のポスト・サイバーパンクは甲乙つけ難い。林田&YOUCHANの新感覚書物にも感嘆。

田中すけきよ　フリーアーキビスト

①『戦車椅子　TANK　CHAIR』やしろ学
②『令和のダラさん』ともつか治臣
③『8月31日のロングサマー』伊藤一角
④『螺旋じかけの海』伊藤一角
⑤『竜と勇者と配達人』グレゴリウス山田

一巻と完結巻で。惜しげもなくアイデアを投入する『戦車椅子』。ホラーとギャグと小ネタ設定の高質な三本柱の『令和のダラさん』。ループものに外れなし（?）の『8月31日のロングサマー』。商業では惜しくも中断してしまった『螺旋じかけの海』が同人で無事完結したのはめでたい。

田中光　イラストレーター

●『グラーフ・ツェッペリン　あの夏の飛行船』高野史緒
●『時を追う者』佐々木譲
●『標本作家』小川楽喜
●『ダイダロス』塩崎ツトム
●『アナベル・アノマリー』谷口裕貴

他に、『オーラリメイカー〔完全版〕』、『シュレーディンガーの少女』、『ときときチャンネル』などがよかった。

千葉集　作家

①『あなたは月面に倒れている』倉田タカシ
②『茹で甲斐　パスタにまつわる94の掌編』フリー・グーグルトン
③『エレファントヘッド』白井智之
④『ときときチャンネル　宇宙飲んでみた』宮澤伊織
⑤『闇の精神史』木澤佐登志

巧い短篇集が多かった。①は苛烈なまでに現在について真剣であり続ける姿勢が、②（木下古栗の変名）は飽きられつつある生成AI文学を鮮やかに塗り替える技法が、③は「作者の胸先三寸」と揶揄されがちなSF／特殊設定ミステリを突き詰める偏執が、それぞれ陳腐さに抗う態度として際立つ。④、壮大なカマシが四畳半に収まっていくラブリーなバランス。⑤、内容もだが語り自体がSF。ゲームでは『ファミレスを享受せよ』が良し。

津久井五月　作家

①『禍』小田雅久仁
②『AIとSF』日本SF作家クラブ＝編
③『幽玄F』佐藤究
④『私は命の縷々々々々』青島もうじき
⑤『ヴァケーション　異形コレクションLV』

『禍』は世界の裏側に隠された奇妙なルールに触れる感覚と、奇怪なビジュアルを想像させる筆致が楽しかった。『AIとSF』は今まさに変化しているテクノロジーに対する各作家の応答の違いが面白い。『幽玄F』は同著者の『テスカトリポカ』と同じく、歴史ある宗教と現代の諸相を織り交ぜて鮮烈なビジョンに到達するのが興味深い。『私は命の縷々々々々』はSFアイデアと詩的表現の両方にまたがる野心作でした。

中村融　翻訳家・アンソロジスト

①『わたしたちの怪獣』久永実木彦
②『禍』小田雅久仁
③『闇の精神史』木澤佐登志
④『ときときチャンネル　宇宙飲んでみた』宮澤伊織
⑤『シュレーディンガーの少女』松崎有理

次点は『妖たちの気ままな日常』廣嶋玲子、『黄金蝶を追って』相川英輔。④は新しいタイプのサイエンス・フィクションとして高く評価したい。「古い酒を新しい革袋に入れる」とはこのことか。

長山靖生

文芸サークル評論家

①『グラーフ・ツェッペリン　あの夏の飛行船』高野史緒
②『オーラリメイカー〔完全版〕』春暮康一
③『禍』小田雅久仁
④『アブソルート・コールド』結城充考
⑤『わたしたちの怪獣』久永実木彦

　ノスタルジアに知的刺激と、ともかくココロにもアタマにもSFは心地良いと再確認した。

名古屋大学SF・ミステリ・幻想小説研究会

大学サークル

①『標本作家』小川楽喜
②『走馬灯のセトリは考えておいて』柴田勝家
③『そして、よみがえる世界。』西式豊
④『最果ての泥徒』高丘哲次
⑤『でぃすぺる』今村昌弘

　今年は上位が混戦で、どれを一位にするか迷った。①設定も展開もうまく練られている。次回作も大いに楽しみ。②柴田勝家らしさがしっかり詰まった短篇集と言える。③ミステリとしては微妙も、SFとしては好み。オチが少し弱いかも。④王道ファンタジー。普段あまり読まないジャンルだったので新鮮。⑤作者お得意の超常現象×論理的推理。伏線を回収してコズミックホラー的なオチをつけているのがユニーク。

難波弘之

ミュージシャン、東京音楽大学教授

①『走馬灯のセトリは考えておいて』柴田勝家
②『SFのSは、ステキのS＋』池澤春菜
③『標本作家』小川楽喜
④『シュレーディンガーの少女』松崎有理
⑤『花と機械とゲシタルト』山野浩一

　発表当時、ほとんど反響がなかったように思われた『花と機械とゲシタルト』の復刊は、快挙でした。僕の「薔薇と科学」は、この作品の影響下に書かれた曲です。ただ、復刻を他の新刊と並べて良いものかどうか迷いました。

橋　賢亀

絵描き

●『南海ちゃんの新しいお仕事　階段落ち人生』新井素子
●『真夜中のウラノメトリア』神田澪
●『仮面物語　或は鏡の王国の記』山尾悠子
●『奇病庭園』川野芽生
●『神々の宴　オーリエラントの魔道師たち』乾石智子

林　譲治

SF作家

①『グラーフ・ツェッペリン　あの夏の飛行船』高野史緒
②『オーラリメイカー〔完全版〕』春暮康一
③『わたしたちの怪獣』久永実木彦
④『NOVA　2023年夏号』大森望＝編
⑤『SFのSは、ステキのS＋』池澤春菜

　今年も豊作の年ではなかったかと思う。同時に新しい書き手やグループの活動が活発化した店でも記憶されるべき年だと思う。

林　哲矢

SFレビュアー

①『あなたは月面に倒れている』倉田タカシ
②『アナベル・アノマリー』谷口裕貴
③『回樹』斜線堂有紀
④『京都SFアンソロジー　ここに浮かぶ景色』井上彼方＝編
⑤『ときときチャンネル　宇宙飲んでみた』宮澤伊織

　ノンフィクションでは藤井亮『タローマンなんだこれは入門』が良かった。ふざけるならここまでやるべきという強い意志がすばらしい。漫画では、いけだたかし『旅に出るのは僕じゃない』。VR旅行ソフトの取材で各地に赴く「無名旅行人」を主人公とした近未来SF。特撮ではドンブラザーズ。すごかった。

春暮康一
SF作家

①『走馬灯のセトリは考えておいて』柴田勝家
②『回樹』斜線堂有紀
③『空想の海』深緑野分

読むことのできた本が少なかったので、すみませんが三作だけ。どれも軽快な筆致で多彩なテーマを楽しめる。それぞれの作品で特に面白かったのは、『走馬灯のセトリは考えておいて』の「クランツマンの秘仏」。『回樹』の「骨刻」。『空想の海』の「贈り物」。

福井健太
書評系ライター

①『走馬灯のセトリは考えておいて』柴田勝家
②『シュレーディンガーの少女』松崎有理
③『バイオスフィア不動産』周藤蓮
④『ミリは猫の瞳のなかに住んでいる』四季大雅
⑤『禍』小田雅久仁

良質の短篇集を文庫の形で出すことは、ジャンル読者の増加にも繋がるはずだ。バーチャルや信仰などの作家的モチーフを揃えた①、多彩なディストピアで戦う女性たちを描く②はその契機になり得る好著。③は住環境が激変した社会のお仕事小説、④は過去視＆未来視と大学の連続殺人を絡めたSFミステリ（いずれも電撃小説大賞金賞受賞者）。熱っぽい語りで異様なイメージを現出させた⑤の物語たちも忘れ難い。

藤井太洋
SF作家

●『グラーフ・ツェッペリン　あの夏の飛行船』高野史緒
●『結晶するプリズム　翻訳クィアSFアンソロジー』井上彼方、紅坂紫＝編
●『水溶性のダンス』河野咲子
●『ラウリ・クースクを探して』宮内悠介
●『ドードー鳥と孤独鳥』川端裕人

川端裕人、宮内悠介、高野史緒と大好物の作家がそれぞれの持ち味を存分に生かした小説を出してくれたことがなんとも嬉しい一年だったが、やはり今年もオンライン発の短篇小説作家とその活動に惹かれる一年だった。リストには入れなかったが、蜂本みさの「せんねんまんねん」の痛烈な一撃は長く余韻を残した。オンライン短篇SFのオールタイムベストの登場だ。

藤田雅矢
作家・植物育種家

①『グラーフ・ツェッペリン　あの夏の飛行船』高野史緒
②『未来経過観測員』田中空
③『奇病庭園』川野芽生
④『最果ての泥徒』高丘哲次
⑤『ドードー鳥と孤独鳥』川端裕人

①は飛行船ツェッペリンの記憶を介して、多重世界での二人の出会いと行く末を見せてくれる名作、②はコミック『タテの国』の作者による初のオリジナルSF小説、時空の果てまで飛ばされます。③のみな角や翼でも生えてきそうな硬質な幻想世界、④のゴーレムが普及したもう一つの歴史、⑤の『ドードーをめぐる堂々めぐり』と対になるように見せてくれた物語と、今年もいろいろ出会えた。

冬木糸一
書評家

①『本の背骨が最後に残る』斜線堂有紀
②『禍』小田雅久仁
③『サイケデリック・マウンテン』榎本憲男
④『標本作家』小川楽喜
⑤『そして、よみがえる世界。』西式豊

①は同作者の『回樹』と迷ったが個人的好みからこっちで。②は振り返った時外せない短篇集だ。③は長篇ではもっとも印象に残った。宗教、薬物、マインドコントロールなど様々な要素を混交させながら、見事に大きなテーマを描き出している。④、⑤はどちらもパワーを感じさせる新人賞作品で、一年を通して印象が残った。

細谷正充
文芸評論家

①『グラーフ・ツェッペリン　あの夏の飛行船』高野史緒
②『星の航海者1　遠い旅人』
③『禍』小田雅久仁
④『ときときチャンネル　宇宙飲んでみた』宮澤伊織
⑤『黄金蝶を追って』相川英輔

小学生の頃は、割と「ノストラダムスの大予言」を信じていた。あと二十数年で、みんな死ぬと思っていた。だからそれまで好き勝手に生きようと考えた。でも一方で、人類滅亡に対する不思議なワクワク感もあった。ということで⑤に収録されている「引力」に、異様に共感してしまったのである。

牧 眞司
SF研究家・文藝評論家

①『国書刊行会50年の歩み』国書刊行会＝編
②『回樹』斜線堂有紀
③『NOVA　2023年夏号』大森望＝編
④『アブソルート・コールド』結城充考
⑤『わたしたちの怪獣』久永実木彦

『国書刊行会50年の歩み』は資料的価値はもちろん、読み物として圧倒的な面白さ。抱腹絶倒しながら、版元公式なのにここまで言いたい放題して平気かとちょっと心配になるほどでした。

牧 紀子
編集者、SFイラスト研究家

①『アナベル・アノマリー』谷口裕貴
②『走馬灯のセトリは考えておいて』柴田勝家
③『ありふれた金庫』北野勇作
④『ドードー鳥と孤独鳥』川端裕人
⑤『「これから何が起こるのか」を知るための教養　SF超入門』冬木糸一

①は、ついに出ました、お待ちしてました！　谷口裕貴さんの傑作を。②は短篇集から柴田勝家さん。③は大好きな北野勇作さんの１００文字小説にしました。『納戸のスナイパー』『ねこラジオ』も入れたいところですが、そうするとほかの作品が選べなくなるので一作目を。④はまさかのドードー小説、⑤は入門書から一冊選びました。

増田まもる
翻訳家

●『わたしたちの怪獣』久永実木彦
●『グラーフ・ツェッペリン　あの夏の飛行船』高野史緒
●『シュレーディンガーの少女』松崎有理
●『あなたは月面に倒れている』倉田タカシ
●『本の背骨が最後に残る』斜線堂有紀

今年も国内篇はすばらしい才能がひしめいて選ぶのに苦労するほどだった。年齢も二十代から五十代と幅広く、SFという芸術運動の豊かさを象徴するように、どの作品も時代や状況を的確にとらえながら、みずみずしい感性に満ち溢れていた。

松崎健司（らっぱ亭）
放射線科医（ラファティアン）

①『あなたは月面に倒れている』倉田タカシ
②『十二月の辞書』早瀬耕
③『グラーフ・ツェッペリン　あの夏の飛行船』高野史緒
④『ときときチャンネル　宇宙飲んでみた』宮澤伊織
⑤『冬にそむく』石川博品

どうやらSFは定期的に死んでいるらしいが、めくるめく走馬灯が目映すぎてもはや午後の恐竜状態である（わかりにくい）。文芸雑誌にもニッチな専門誌にもSFは載っているし、漫画もテレビも映画もWEB小説も電書も同人誌もSFに満ち溢れ、WEBベースで参加できる京フェスやSFファン交や若島正先生主催のSF読書会など、私みたいな引き籠もりの地方在住者でもどっぷりとSFに浸れる幸せな日々なのだ。

宮樹弌明
会社員・ライター

①『回樹』斜線堂有紀
②『オーラリメイカー〔完全版〕』春暮康一
③『標本作家』小川楽喜

④『ゴリラ裁判の日』須藤古都離
⑤『AIとSF』日本SF作家クラブ＝編

二〇二三年は多くの新世代作家の意欲作や多彩な作品が収録されたアンソロジーに触れることができ、刺激的な一年だった。内容もハードSFから幻想、奇想まで幅広く、豊かな読書体験に浸ることができた。

三宅香帆　書評家

①『走馬灯のセトリは考えておいて』柴田勝家
②『ラウリ・クースクを探して』宮内悠介
③『NOVA　2023年夏号』大森望＝編
④『ドードー鳥と孤独鳥』川端裕人
⑤『ドライブイン・真夜中』高山羽根子

『走馬灯のセトリは考えておいて』、表題作が『推しの子』と並ぶ傑作だと思っております！

森下一仁　本読み／著述

①『ありふれた金庫』北野勇作
②『カーテンコール』筒井康隆
③『シュレーディンガーの少女』松崎有理
④『アナベル・アノマリー』谷口裕貴
⑤『アブソルート・コールド』結城充考

北野さんの『ありふれた金庫』は『納戸のスナイパー』『ねこラジオ』と合わせた三部作を代表して。ベテラン中心のリストになりましたが、若手でも別のリストが編めそうです。久永実木彦『わたしたちの怪獣』、斜線堂有紀『回樹』、倉田タカシ『あなたは月面に倒れている』、宮澤伊織『ときときチャンネル　宇宙飲んでみた』といった五作。

山岸真　SF翻訳業

①『グラーフ・ツェッペリン　あの夏の飛行船』高野史緒
②『回樹』斜線堂有紀
③『ときときチャンネル　宇宙飲んでみた』宮澤伊織
④『沈没船で眠りたい』新馬場新
⑤『忘らるる物語』高殿円

斜線堂短篇集は『本の背骨が最後に残る』と両方入れたかったが、「骨刻」収録の②に絞った。④⑤は西式豊『そして、よみがえる世界。』、田中空『未来経過観測員』、榎本憲男『サイケデリック・マウンテン』と入れ替えあり。短篇ベストは柴田勝家「走馬灯のセトリは考えておいて」（短篇集表題作）、上田早夕里「成層圏の墓標」（『超常気象』）、宮西建礼「冬にあらがう」（〈紙魚の手帖〉vol.12）。

山之口洋　作家／AI技術者

①『ときときチャンネル　宇宙飲んでみた』
②『禍』
③『神獣夢望伝』
④『カーテンコール』
⑤『最果ての泥徒』

暮に佐藤哲也、酒見賢一と縁ある同世代作家の訃報があいつぐ。悲嘆の最中でさえご馳走を食えばうまく、新世代作家の良作に心が動くのは後ろめたい。①主人公二人はありがちなキャラだが、あり得ないほどハードなネタと、ネット配信という新鮮なナラティブがそれにかっちりマッチした掘出し物！　②は作り物でない禍々しさが出色。④は筒井先生の多分最後の作品。不謹慎ながら「附・山号寺号」がお経のように響くのは気のせい？

YOUCHAN　イラストレーター

①『グラーフ・ツェッペリン　あの夏の飛行船』高野史緒
②『百鬼園事件帖』三上延
③『コスタ・コンコルディア　工作艦明石の孤独・外伝』林譲治
④『わたしたちの怪獣』久永実木彦
⑤『幻想と怪奇　ショートショート・カーニヴァル』牧原勝志（幻想と怪奇編集室）

『グラーフ・ツェッペリン』は全世代に読ん

でほしい。今を代表するSFであり、エヴァーグリーンになり得る力のこもった作品だと思う。『百鬼園事件帖』は読むタイムマシンだった。『工作艦明石の孤独』はワープ航法の理論が難解で、何度も何度も行きつ戻りつしながら読んだが、読んでいる間とても幸せでもありました。

ゆずはらとしゆき
作家&企画編集者

①『アブソルート・コールド』結城充考
②『ブラックロッド［全］』古橋秀之
③『魔王都市　空白の玉座と七柱の偽王』ロケット商会

吉田親司
小説家

●『走馬灯のセトリは考えておいて』柴田勝家
●『グラーフ・ツェッペリン　あの夏の飛行船』高野史緒
●『WALL』周木律
●『バイオスフィア不動産』周藤蓮
●『モスクワ2160』蝸牛くも

選出した五作はいずれも甲乙つけがたく、順不同とさせていただいた。今年も良作が豊富でしたが、ライトノベルにSFテイストの良作が増えたことが個人的に嬉しい。読み切れていない新作のほうが多く、もっと読書量をあげていかなければと反省する日々です……。

吉田隆一
SF音楽家

●『ありふれた金庫』北野勇作
●『空想の海』深緑野分
●『グラーフ・ツェッペリン　あの夏の飛行船』高野史緒
●『ときときチャンネル　宇宙飲んでみた』宮澤伊織
●『わたしたちの怪獣』久永実木彦

「奇譚SFの復権」という印象を昨年に引き続き感じてます。北野勇作さんの百字劇場は一冊だけ挙げましたがシリーズ刊行そのものが素晴らしいです。『ときときチャンネル』のようなBAKA-SFの系譜はずっと何処かにあって欲しいです。

ワセダミステリ・クラブ
文学サークル

①『走馬灯のセトリは考えておいて』柴田勝家
②『幽玄F』佐藤究
③『禍』小田雅久仁
④『エレファントヘッド』白井智之
⑤『最果ての泥徒』高丘哲次

①は信仰と質量、アイドルとAIなど、人の想いと科学を掛け合わせた傑作短篇集。②息を吐く暇もないスピード感で追体験する、戦闘機に魅せられた少年が歩んだ数奇な人生。③不条理、奇想、怪奇に溢れた短篇集。悪夢にも似た世界観に飲み込まれる。④は頭のネジを何十本も外して書いたようにも、何十本も引き締めて書いたようにも思える著者の最高到達点。⑤は歴史改変SF。ゴーレムの青年と彼の主人である少女マヤの絆が美しい。

渡邊利道
文筆業

●『あなたは月面に倒れている』倉田タカシ
●『グラーフ・ツェッペリン　あの夏の飛行船』高野史緒
●『シュレーディンガーの少女』松崎有理
●『LOG・WORLD』八杉将司
●『ザイオン・イン・ジ・オクトモーフ　イシュタルの虜囚、ネルガルの罠』伊野隆之

他に『アナベル・アノマリー』谷口裕貴、『明智卿死体検分』小森収、「水溶性のダンス」河野咲子、「二十七番目の月」大木芙沙子、『腿太郎伝説（人呼んで、腿伝）』深堀骨、『ドライブイン・真夜中』高山羽根子、『未来経過観測員』田中空、『禍』小田雅久仁、『ドードー鳥と孤独鳥』川端裕人、『私は命の縷々々々』青島もうじき、『本の背骨が最後に残る』斜線堂有紀、『ときときチャンネル』宮澤伊織などが面白かったです。

ＳＦが読みたい！の早川さん

文明交錯

怪獣保護協会

鏖戦

早川さん考案のタイトル俳句ゲーム
『惑う星』〜
は〜い!
『ドードー鳥と孤独鳥』〜!
パン
『ねこラジオ』〜
『夢見る宝石』『ダイダロス〜』!
本二冊で作ると得点二倍ね
パンパン
時ありて〜
『時を追う者』『未来省』〜!
全て時間に関係するから得点三倍!
ちょっと待てなんやさっきからその後だしルールは
だいたいこの『チク・タク×10』って使い途があらへんやろ!
あ、それジョーカーね
使い方はそのときが来たら

SFの気恥ずかしさ

こうして表紙を並べていて思いましたが、早川さんはいつも電車内でもカバーなしで本を読んでますよね
表紙を見て気になって読んでくれる人もいるんじゃないかと思ってね
でも恥ずかしくないですか萌え絵とか使ってるものもあるし
もうそういうのは気にならなくなったかな
『三体』があれだけ売れたのもあたしが読んでるのを見た人が三人くらい買ってくれたおかげだと思ってるよ
でもこれは無理だ
なんやて?
うちの昨年のベスト本やで
そういうのもそうですがロボットとか火星とか怪獣とかハードル高いなあ
でもさ子供の頃に憧れたものを恥ずかしいとかおかしいよね
好きなものはずっと好き!と私は声を大にして言い続けるよ!

マイ・ベスト5

海外篇

全アンケート回答91名
（回答者50音順）

SF界で活躍する作家・評論家・翻訳家の方々に、2023年度（2022年11月～2023年10月）の新作SFから、印象に残った海外作品5点を選んでもらいました。

掲載作品については、158ページからの「2023年度　SF関連書籍目録」に書誌情報の記載があります。また、右記の期間外の作品については、※印をつけ集計の対象外としました。

縣 文弘
ときどきライター

①『マシンフッド宣言』S・B・ディヴィヤ
②『ガーンズバック変換』陸秋槎《りくしゅうさ》
③『鋼鉄紅女』シーラン・ジェイ・ジャオ
④『鏖戦《おうせん》／凍月《いてづき》』グレッグ・ベア
⑤『時ありて』イアン・マクドナルド

粒揃いながら、これぞという目玉を欠いた年のように感じた。その中で①は、現在の科学的・社会的トピックから演繹されたアイディアに彩られた近未来SFとして読み応えがあった。②は著者の多彩な作風が楽しめる傑作短篇集。③新味はないが、エンタメとしての面白さは抜群。④既訳中篇二本のカップリングだが、やはり「鏖戦」には自分がSFに求めるものの精髄が詰まっている。⑤は小品ながら落ち着いた筆致で読ませる佳品。

秋山 完
作家

●『ミッキー7』エドワード・アシュトン
●『ブレーキング・デイ　減速の日』アダム・オイェバンジ
●『怪獣保護協会』ジョン・スコルジー
●『ギリシャSF傑作選　ノヴァ・ヘラス』フランチェスカ・T・バルビニ、フランチェスコ・ヴァルソ＝編
●『サイエンス・フィクション大全　映画、文学、芸術で描かれたSFの世界』グリン・モーガン＝編

核兵器で脅迫する大国の横暴に向けた処方箋として、半世紀以上昔のSFが選んだのは『渚にて』や『未知への飛行　フェイル・セイフ』にみる悲嘆の涙と、『博士の異常な愛情』『世界の小さな終末』『魚が出てきた日』にみるシニカルな笑いだった。二十一世紀の現在、〝涙と笑い〟は、虐殺をためらわない軍事力に対して本当に無力なのか？　東西冷戦の終結にSFがどのように関わったのか、歴史を再考する意味があるのかも。

天野護堂
SF愛好家

①『赦しへの四つの道』アーシュラ・K・ル・グィン
②『異能機関』スティーヴン・キング
③『テメレア戦記7　黄金のるつぼ』ナオミ・ノヴィク
④『最後の三角形　ジェフリー・フォード短篇傑作選』ジェフリー・フォード
⑤『チェコSF短編小説集2』ヤロスラフ・オルシャ・jr.、ズデニェク・ランパス＝編／平野清美＝編訳

毎年の事ながら素晴らしい作品ばかりで選ぶのに悩んでしまいました。翻訳者の皆様、

ありがとうございます。他に気になる作品として、スタニスワフ・レム『火星からの来訪者　知られざるレム初期作品集』、N・K・ジェミシン『輝石の空』、ユーン・ハ・リー『蘇りし銃』、グレッグ・ベア『鏖戦／凍月』、ピーター・S・ビーグル『最後のユニコーン　旅立ちのスーズ』、ジーン・ウルフ『書架の探偵、貸出中』、ジャスパー・フォード『クォークビーストの歌』、マリアーナ・エンリケス『寝煙草の危険』、キャサリン・アーデン『冬の王1・2』、蔡駿《さいしゅん》『幽霊ホテルからの手紙』、などがありました。

いするぎ りょうこ

SF&ファンタジー・ファン

①『夢みる宝石』シオドア・スタージョン
②『輝石の空』N・K・ジェミシン
③『魔術師ペンリックの仮面祭』ロイス・マクマスター・ビジョルド
④『変身物語』オウィディウス
⑤『最後のユニコーン　旅立ちのスーズ』ピーター・S・ビーグル

『夢みる宝石』は新訳刊行を祝して喜んで読んだが、マイノリティ、ジェンダー、児童虐待等々を極めて現代的な視点で扱っていることに遅まきながら気付いて驚いた。『輝石の空』は奉仕することだけを強いられて報われることのない存在の過酷な生を描いてずっしり重い。『魔術師ペンリック〜』ではあまりにも滅茶苦茶で耐え難い現実を逃れて楽しく遊んだが、「ヴィルノック〜」は辛かった。

『変身物語』は文庫での新訳刊行が嬉しい。

礒部剛喜

UFO現象学者

①『吸血鬼は夜恋をする　SF&ファンタジイ・ショートショート傑作選』R・F・ヤング、R・マシスン他＝著、伊藤典夫＝編訳
②『誰？』アルジス・バドリス
③『蘇りし銃』ユーン・ハ・リー
④『輝石の空』N・K・ジェミシン
⑤『【核とUFOと異星人】人類史上最も深い謎』ジャック・フランシス・ヴァレ

新訳も含めて海外SFは豊穣な作品が並んでいる。最後に⑤を自薦する。本書はUFO墜落事件を扱ったキワモノと看做されているようだが、さにあらず。著者ヴァレはフランスでは六〇年代を代表するSF作家の一人。UFO墜落事件の背景を、ロシアのSF作家ストルガツキー兄弟の『ストーカー』を引用して論じている。ヴァレがSF作家らしい視点からUFO墜落事件をどう捉えたのか、SFの読者には知ってもらいたい。

市田 泉

翻訳家

①『最後の三角形　ジェフリー・フォード短篇傑作選』ジェフリー・フォード
②『鏖戦／凍月』グレッグ・ベア
③『輝石の空』N・K・ジェミシン
④『どれほど似ているか』キム・ボヨン
⑤『鋼鉄紅女』シーラン・ジェイ・ジャオ

各作品でいちばん心に残ったのは、①不思議を介した出会いと別れの美しさ。②おおきな物語の果ての寂寥感。③母と娘のたどりついた結末。④理不尽な現実を見据えるまなざし。⑤主人公の怒りのすさまじさ。

乾石智子

ファンタジー小説家

①『最後のユニコーン　旅立ちのスーズ』ピーター・S・ビーグル
②『最後の語り部』ドナ・バーバ・ヒグエラ
③『魔術師ペンリックの仮面祭』ロイス・マクマスター・ビジョルド
④『輝石の空』N・K・ジェミシン
⑤『デューン　砂漠の救世主〔新訳版〕』フランク・ハーバート

『最後のユニコーン　旅立ちのスーズ』は、犯しがたい純粋さ、善良さ、神聖さを思いださせてくれる。それが、どうしてなのか、どこから来るのか、はっきりと示すことができない。示すことができないほどに、心の奥底に響いてくる傑作だと思う。

井上 知
翻訳者

①『寝煙草の危険』マリアーナ・エンリケス
②『地下図書館の海』エリン・モーゲンスターン
③『文明交錯』ローラン・ビネ
④『最後の語り部』ドナ・バーバ・ヒグエラ
⑤『穏やかな死者たち シャーリイ・ジャクスン・トリビュート』エレン・ダトロウ＝編

①「ホラー・プリンセス」マリアーナ・エンリケスの短篇集。アルゼンチンの社会背景だからこそ生まれる作品。②有形無形すべてのものがたりを集めた場所。『風の影』の「忘れられた本の墓場」を思わせながら、ちりばめられたイメージの海にどっぷりつかる読書。③「インカ帝国がスペインを征服したのだとしたら」こんなの設定だけで優勝でしょう……。④語り部という言葉で想像したのとまったく違う方向へ（良い意味で）。

岩郷重力
アートディレクター

●『ミッキー7』エドワード・アシュトン
●『フォワード　未来を視る6つのSF』ブレイク・クラウチ＝編
●『火星からの来訪者　知られざるレム初期作品集』スタニスワフ・レム
●『鏖戦／凍月』グレッグ・ベア
●『ロボット・アップライジング　AIロボット反乱SF傑作選』D・H・ウィルソン＆J・J・アダムズ＝編

卯月 鮎
書評家・ゲームコラムニスト

●『ギリシャSF傑作選　ノヴァ・ヘラス』フランチェスカ・T・バルビニ、フランチェスコ・ヴァルソ＝編
●『蒸気駆動の男　朝鮮王朝スチームパンク年代記』イ・ソヨン、チョン・ミョンソプ、パク・エジン、キム・イファン、パク・ハル
●『輝石の空』N・K・ジェミシン
●『ガーンズバック変換』陸秋槎
●『鏖戦／凍月』グレッグ・ベア

『ノヴァ・ヘラス』はエーゲ海に満ちる退廃と崩壊の予感。異質なようで日本とシンクロする。『蒸気駆動の男』は見た目以上に閉鎖的な社会を噴き上がる蒸気が揺さぶる。『輝石の空』は壮大な叙事詩の源が、怒り、憎しみ、その奥にある愛というドロドロのマグマの塊であることに気づく。『ガーンズバック変換』は発想の種から言葉と用語が積み上がり、情緒ある世界が生まれる驚き。『鏖戦／凍月』は今だからわかる先見性と普遍性。

榎本 秋
作家

①『怪獣保護協会』ジョン・スコルジー
②『文明交錯』ローラン・ビネ
③『三体0《ゼロ》　球状閃電』劉慈欣
④『人類の知らない言葉』エディ・ロブソン
⑤『サイボーグになる　テクノロジーと障害、わたしたちの不完全さについて』キム・チョヨプ、キム・ウォニョン

①は怪獣映画への愛情がみちみちに詰まった作品を選んだ。②はインカ「が」スペイン「を」征服する、という逆転発想のif歴史もの。③はやっぱり押さえておきたい『三体』前日譚。「テレパシーで会話する異文明との接触」というSF背景に、キャラ立ちした主人公が映える作品を④に。最後は「サイボーグ」というテーマでのノンフィクション対談本。サイボーグと障害をテーマに語るというシチュエーション自体がSF的だ。

大阪大学SF研究会
大学サークル

①『円　劉慈欣短篇集』劉慈欣
②『蒸気駆動の男　朝鮮王朝スチームパンク年代記』イ・ソヨン、チョン・ミョンソプ、パク・エジン、キム・イファン、パク・ハル
③『チク・タク・チク・タク・チク・タク・チク・タク・チク・タク・チク・タク・チク・タク・チク・タク・チク・タク・チク・タク』ジョン・スラデック
（註・以下『チク・タク×10』とする）
④『星を継ぐもの〔新版〕』ジェイムズ・P・ホーガン

⑤『方形の円　偽説・都市生成論』ギョルゲ・ササルマン

巨匠の新版から気鋭の新星まで、あるいはヨーロッパからアジアまで多様性に富んだ年だった一方、劉慈欣の勢いは加熱するばかりだった。今年は他にもいくつか書籍が訳されたが、中でも表題作「円」と「人生」の素晴らしさを考慮して本書を選んだ。『蒸気駆動の男』はテーマに対してアンソロジーとしてうまくまとまっていた点が高評価。『チク・タク×10』は、狂気ともいえる文章が巧く日本語に落とし込まれており、感動すら覚えた。

大迫公成

技術翻訳・CONTACT Japan代表

●『文明交錯』ローラン・ビネ
●『火星からの来訪者　知られざるレム初期作品集』スタニスワフ・レム
●『夢みる宝石』シオドア・スタージョン
●『吸血鬼は夜恋をする　SF&ファンタジイ・ショートショート傑作選』R・F・ヤング、R・マシスン他＝著、伊藤典夫＝編訳
●『フォワード　未来を視る6つのSF』ブレイク・クラウチ＝編

『文明交錯』改変世界の歴史を史実として読んだ。インカ帝国による遠征からスペインの征服そして欧州への進展記録に引き込まれました。『火星からの来訪者』うれしい本邦初訳の若きレム作品集。SFそして非SF世界の描写はさすがです。『夢みる宝石』幻想冒険譚と言いつつ「人間」を描くスタージョンの世界観に感動しました。『吸血鬼は夜恋をする』三十二篇の作品は各々実に面白かった。多様なジャンルを味わえる秀作揃いです。『フォワード』地球の未来やAIの話、恐ろしい、楽しい、真摯な六話を楽しみました。

大戸又

会社員・アンソロジスト（野生）

①『鏖戦／凍月』グレッグ・ベア
②『最後の三角形　ジェフリー・フォード短篇傑作選』ジェフリー・フォード
③『美しき血』ルーシャス・シェパード
④『チク・タク×10』ジョン・スラデック
⑤『ギリシャSF傑作選　ノヴァ・ヘラス』フランチェスカ・T・バルビニ、フランチェスコ・ヴァルソ＝編

①手に取りやすくなった唯一無二。②二冊続けて傑作選が「傑作選」で恐ろしい。「アイスクリーム帝国」がすごい。③長篇で読むと本シリーズ世界観の濃さをより味わえる。④反転された人間性が悪趣味で魅了的。⑤世界の暗さと人の強かさ。選外では『オレンジ色の世界』『アメリカへようこそ』の奇想短篇集二作も薦めたい。更に深く掘りたい向きには翻訳小説同人誌『BABELZINE』Vol.3を是非。

大野典宏

ただの一読者

①『SFの気恥ずかしさ』トマス・M・ディッシュ
②『火星からの来訪者　知られざるレム初期作品集』スタニスワフ・レム
③『卑劣で残酷な人達』アルカジイ&ボリス・ストルガツキー
④『地球の果ての温室で』キム・チョヨプ

ストルガツキー兄弟に関しては反則かもしれないのだが、五カウントまでは許されるルールでやっているので。

大野万紀

SF翻訳家・書評家

①『地球の果ての温室で』キム・チョヨプ
②『どれほど似ているか』キム・ボヨン
③『ガーンズバック変換』陸秋槎
④『ロボット・アップライジング　AIロボット反乱SF傑作選』D・H・ウィルソン&J・J・アダムズ＝編
⑤『SFの気恥ずかしさ』トマス・M・ディッシュ

海外も期日までに読めなかった作品が多い。上位には韓国SFが並んだ。①は温かく繊細な文章で描かれる良質な本格SFであ

る。②では特に表題作が衝撃的で印象に残った。③はAIハード言語SFの「色のない緑」が傑作。④はAIロボットのテーマアンソロジーだが軽い話も重い話もあってバラエティに富んでいる。⑤は辛口のユーモアが光る評論集。その鋭い批評眼は首尾一貫しており信頼に値する。

大森 望　SF業

①『鋼鉄紅女』シーラン・ジェイ・ジャオ
②『文明交錯』ローラン・ビネ
③『最後の三角形　ジェフリー・フォード短篇傑作選』ジェフリー・フォード
④『ガーンズバック変換』陸秋槎
⑤『マシンフッド宣言』S・B・ディヴィヤ

①は中国生まれのカナダ人作家によるライトノベル系巨大ロボット格闘SFの快作。②は「もしもインカ帝国がスペインを征服していたら?」という驚天動地の改変歴史小説。③はジャンル小説寄りの全十四篇を収録。巻頭のネビュラ賞受賞作「アイスクリーム帝国」（傑作！）と、うしろのほうの四篇がSF系。④は著者初のSF短篇集。爆笑のお仕事小説「開かれた世界《オープンワールド》から有限宇宙へ」が楽しい。⑤は社会問題×活劇の野心的な大作。

岡田靖史　飲食店店主

①『時ありて』イアン・マクドナルド
②『ガーンズバック変換』陸秋槎
③『美しき血』ルーシャス・シェパード
④『地球の果ての温室で』キム・チョヨプ
⑤『グレイス・イヤー　少女たちの聖域』キム・リゲット

もっと読んだことのない国の作品を読みたいと思わせる『ギリシャSF傑作選』、旅行記のように楽しみながらも登場人物に頬を緩ませられる『メアリ・ジキルと怪物淑女たちの欧州旅行2』、今読んでも納得したり首をかしげたりもしながらそれも楽しめる『SFの気恥ずかしさ』、埋もれて読めないことを残念に思っていた『鏖戦／凍月』の復刊など、以下にも順位にはあげられなかったもののいずれもよかったと思えた作品たちをあげておく。『七月七日』『蒸気駆動の男』『チク・タク×10』『最後の三角形』『未来省』『マシンフッド宣言』『蘇りし銃』『遠きにありて、ウルは遅れるだろう』。

岡野晋弥　編集者／レビュアー

①『超新星紀元』劉慈欣
②『怪獣保護協会』ジョン・スコルジー
③『文明交錯』ローラン・ビネ
④『サイボーグになる　テクノロジーと障害，わたしたちの不完全さについて』キム・チョヨプ、キム・ウォニョン
⑤『嘘つきのための辞書』エリー・ウィリアムズ

①は大人たちがいなくなった後の、子供たちが作る社会を描く。子供たちの情熱はあらぬ方向に転がっていくが、お仕着せの子供像でないのが好感。②は並行世界の怪獣を保護する主人公たちのかけ合いがコミカル。③は「インカ帝国がヨーロッパを支配していたら?」というif小説。④はテクノロジーと障害の関係から社会と人間を考察する。⑤は純粋なSFではないが、辞書を結節点として過去と現在がつながる構造はファンの好物かも。

岡本俊弥　SFブックレビュアー

●『AI 2041 人工知能が変える20年後の未来』カイフー・リー、チェン・チウファン
●『SFの気恥ずかしさ』トマス・M・ディッシュ
●『ガーンズバック変換』陸秋槎
●『アメリカへようこそ』マシュー・ベイカー
●『未来省』キム・スタンリー・ロビンスン

選んだのは、まず百出のAIものの中でもっとも幅広く分かりやすい一冊。また伝説の

話題作が出た中でスラデックと迷ったが、渋さのディッシュを選んだ。韓国SFは充実していたものの甲乙つけがたく、今回は見送ることにした。ミステリとの境界線から陸秋槎、純文との境界線からマシュー・ベイカーを採る。最後のロビンスンは、小説の出来よりもトータルな今日的テーマ性で、もっと注目されるべき問題作である。

岡和田晃　SF評論家・作家

● 『昼と夜　絶対の愛』アルフレッド・ジャリ
● 『人類の知らない言葉』エディ・ロブソン
● 『覚醒せよ、セイレーン』ニナ・マグロクリン
● 『生存の図式』ジェイムズ・ホワイト
● *"Shub-Niggurath Always Rings Twic"* Bolt Thrower Press（TRPG）

順不同。他の私の批評で取り上げていないものを扱う。『昼と夜〜』は、炸裂する無機質なイロニーを追えば、小説世界が『ユビュ王』の圏域にも出逢う点に驚倒。『人類の知らない言葉』は現代SFの最前線。『覚醒せよ』は女たちへ主体的に声を付与すべく隅々まで神話を書き換える姿勢が徹底。『生存の図式』は二つの船をリンクさせ、時間を結びつけるバランス感覚を評価。*"Shub-Niggurath"*は『ネオノミコン』と『ラヴクラフト・カントリー』を合体させて煮詰めたような尖りまくりのコンセプトを持つRPGだと実感した。

尾之上浩司　怪獣小説翻訳家・評論家

①『異能機関』スティーヴン・キング
②『モンスター・パニック！』マックス・ブルックス
③『吸血鬼は夜恋をする　SF&ファンタジイ・ショートショート傑作選』R・F・ヤング、R・マシスン他＝著、伊藤典夫＝編訳
④『誰？』アルジス・バドリス
⑤『フランケンシュタインの工場』エドワード・D・ホック

①②の押しの一手に感動。こういうのが読みたいのよ、時間かかったけど。③は「こういうのアリ？」という不意をつく企画に一票。④は『アメリカ鉄仮面』の邦題で出たこともある心理サスペンスSFの秀作。⑤は、ようやく訳されたゾンビSFコメディ娯楽作。次点は『シャーロック・ホームズとミスカトニックの怪』。残念賞は大昔の⑤のゾンビ・エンタメ度に負けていた『ブッカケ・ゾンビ』。翻訳ものの刊行点数減った？

小山正　ミステリ研究家

①『ラヴクラフト・カントリー』マット・ラフ
②『ニードレス通りの果ての家』カトリオナ・ウォード
③『終末の訪問者』ポール・トレンブレイ
④『火星からの来訪者　知られざるレム初期作品集』スタニスワフ・レム
⑤『SFの気恥ずかしさ』トマス・M・ディッシュ

『ラヴクラフト・カントリー』はTVドラマも良いが、原作も素晴らしい。古書を扱うビブリオ・ホラーの要素もあるし、新旧怪奇映画のパロディー風アクションも凄い（幽霊屋敷の化物にショットガンで挑む黒人女性ヒーローが頼もしい！）。その一方で著者は、アメリカ暗黒史ともいうべき劣悪な人種差別問題に、タブー無く切り込んでゆく。「あー面白かった」という単純な小説ではない。未訳続篇を読みたくて、原書を購入したぞ。

風野春樹　精神科医兼レビュアー

①『文明交錯』ローラン・ビネ
②『鋼鉄紅女』シーラン・ジェイ・ジャオ
③『超新星紀元』劉慈欣
④『チク・タク×10』ジョン・スラデック
⑤『ガーンズバック変換』陸秋槎

なんといっても『文明交錯』が圧巻でした。ヴァイキングとの接触で鉄と馬を手に入れた最強のインディオがコロンブスを返り討

ちにするやたらと面白い歴史改変小説。こういう小説が読みたかったんだよ。

梶尾真治　年金生活者

●『チク・タク×10』ジョン・スラデック
●『人類の知らない言葉』エディ・ロブソン
●『吸血鬼は夜恋をする　SF&ファンタジイ・ショートショート傑作選』R・F・ヤング、R・マシスン他＝著、伊藤典夫＝編訳
●『時ありて』イアン・マクドナルド
●『巡航船〈ヴェネチアの剣〉奪還！　ファインダー・ファーガソン』スザンヌ・パーマー

『時ありて』は時間テーマというだけで甘くなってしまうのはお許しを。『吸血鬼は夜恋をする』伊藤典夫さん訳。私の大好きな短篇アンソロジー集で嬉しくてなりません。『チク・タク×10』は『アトム今昔物語』のアンチテーゼかな。『巡航船〈ヴェネチアの剣〉奪還！』は、アニメにしたら面白そうだなあ。日本SFでは相川英輔さんの『黄金蝶を追って』が印象に残ってるなあ。

香月祥宏　書評家

①『最後の三角形　ジェフリー・フォード短篇傑作選』ジェフリー・フォード
②『この世界からは出ていくけれど』キム・チョヨプ
③『文明交錯』ローラン・ビネ
④『アメリカへようこそ』マシュー・ベイカー
⑤『輝石の空』N・K・ジェミシン

①〜③まで米韓仏の作家が並んだが、他にも中国、チェコ、ギリシャなどさまざまな国のSFが楽しめた年だった。④は奇想と風刺とユーモアが利いた短篇集。分断を超えて破滅に力強く立ち向かう⑤はシリーズ全体を通して楽しめた。純粋な新刊ではないが、ベア『鏖戦／凍月』もマイ・オールタイムベスト級。ディッシュ『SFの気恥ずかしさ』、モーガン『サイエンス・フィクション大全』などのノンフィクションも読み応えがあった。

勝山海百合　小説家

①『最後の三角形　ジェフリー・フォード短篇傑作選』ジェフリー・フォード
②『穏やかな死者たち　シャーリイ・ジャクスン・トリビュート』エレン・ダトロウ＝編
③『鋼鉄紅女』シーラン・ジェイ・ジャオ
④『地下図書館の海』エリン・モーゲンスターン
⑤『異能機関』スティーヴン・キング

『鋼鉄紅女』は主人公が纏足（親指以外の指を内側に折って小さくした足）で、足の痛みを訴えながらも闘うのが良かった。『シャーリイ・ジャクスン・トリビュート』はいずれもジャクスンの面影がある秀作揃いだが、ケリー・リンク『スキンダーのヴェール』最高。（『ノヴァ・ヘラス』を読んで現代ギリシャの解像度が上がった）。

川合康雄　SFアート研究家

①『ガーンズバック変換』陸秋槎
②『グレイス・イヤー　少女たちの聖域』キム・リゲット
③『地球の果ての温室で』キム・チョヨプ
④『アートの力　美的実在論』マルクス・ガブリエル
⑤『アメリカへようこそ』マシュー・ベイカー

④を除いてはSF作品であり、今だからこそこういう作品が読みたかった、と思う作品をあげた。④はこれを読んでSFアートについての考え方に大いに刺激を受けたので選んだ。

北原尚彦　作家・翻訳家

①『時ありて』イアン・マクドナルド
②『文明交錯』ローラン・ビネ
③『蒸気駆動の男　朝鮮王朝スチームパンク年代記』イ・ソヨン、チョン・ミョンソプ、パク・エジン、キム・イファン、パク・ハル

④『この世界からは出ていくけれど』キム・チョヨプ
⑤『チク・タク×10』ジョン・スラデック
　今年の一位は①で一択揺ぎなしと（対象期間始まったばかりの）二〇二二年十一月の段階で確信してましたよ。②は史実とは逆にインカ帝国をスペインを征服したらという改変歴史もの。その奇想っぷりが最高。③は韓流スチームパンク。韓流時代劇を観ていると一層楽しめます。④は短篇集。呼吸の粒子から意味を読み取り会話する「ブレスシャドー」が特に秀逸。⑤はロボットのピカレスクロマン。スラデックだからミステリファンにも！

日下三蔵　SF研究家

①『吸血鬼は夜恋をする　SF&ファンタジイ・ショートショート傑作選』R・F・ヤング、R・マシスン他＝著、伊藤典夫＝編訳
②『フランケンシュタインの工場』エドワード・D・ホック
③『美しき血』ルーシャス・シェパード
④『ガーンズバック変換』陸秋槎
5《メアリ・ジキル》シリーズ　シオドラ・ゴス
　①は懐かしの名アンソロジーの増補文庫化。②を含む《奇想天外の本棚》シリーズはクラシック・ミステリに留まらず、SF、ホラー、奇妙な味の入手困難作を幅広く収めていて、《異色作家短篇集》のような意外性がある。いまもっとも続刊が楽しみな叢書。③で《竜のグリオール》シリーズ完結とのことで名残惜しい。竹書房文庫はスラデックの長篇も面白かった。

草野原々　SF作家

①“Creation Node” Stephen Baxter
②『文明交錯』ローラン・ビネ
③『鏖戦／凍月』グレッグ・ベア
④『誰？』アルジス・バドリス
　スティーヴン・バクスターの最新作“Creation Node”は王道のファーストコンタクトSFながら、統計学を使って異星人の姿について考察する非常に意欲的な思弁小説であった。このようなSFを書きたい。『文明交錯』は改変歴史SFの傑作。「鏖戦」は遠未来の異様な未来人類VS異様なエイリアンという〝勝手に戦え！〟な形で共感できない他者を描いてくれるのが良い。

鯨井久志　書評家・翻訳家・精神科医

①『最後の三角形　ジェフリー・フォード短篇傑作選』ジェフリー・フォード
②『人類の知らない言葉』エディ・ロブソン
③『ロボット・アップライジング　AIロボット反乱SF傑作選』D・H・ウィルソン&J・J・アダムズ＝編
④『SFの気恥ずかしさ』トマス・M・ディッシュ
⑤『どれほど似ているか』キム・ボヨン
　①傑作「アイスクリーム帝国」が読めるのもうれしいが、それ以外も名作揃い。②異星人との翻訳者を主人公にしたSFミステリ。文化侵略的な陰謀論や翻訳をしすぎると酩酊状態になる、という設定も面白いです。③反乱するAIが自分のツボなことに気が付きました。④ついに出たディッシュ評論集。愛と表裏一体の毒が読んでいて心地よいです。⑤表題作がとくによいです。個人的な話ですが、今年はスラデックも訳せてよかったです。

慶應義塾大学SF研究会　大学サークル

①『滅ぼす』ミシェル・ウエルベック
②『SFの気恥ずかしさ』トマス・M・ディッシュ
③『チェコSF短編小説集2』ヤロスラフ・オルシャ・jr.、ズデニェク・ランパス＝編／平野清美＝編訳
④『チク・タク×10』ジョン・スラデック
⑤『幽霊綺譚　ドイツ・ロマン派幻想短篇集』ヨハン・アウグスト・アーペル、フリードリヒ・ラウン、ハインリヒ・クラウレン
　①疑いようもなく、全てが無に帰すだろ

う。しかし、否、それゆえにウエルベックは小説を模索するのである。②ディッシュのSFとの絶妙な距離の置き方に、今でも学ぶところは多い。③「カレル・チャペック賞」の応募作品から選ばれた短篇集。一味違うSFがここで読める。④作品内で渦巻く悪と笑いに読者はどうしようもなく惹き付けられてしまうだろう。⑤あのメアリー・シェリーをも震え上がらせたドイツ・ゴシックを体感せよ。

紅坂 紫
作家、翻訳家

① **『グレイス・イヤー 少女たちの聖域』キム・リゲット**
② **『最後の三角形 ジェフリー・フォード短篇傑作選』ジェフリー・フォード**
③ **『寝煙草の危険』マリアーナ・エンリケス**
④ **『この世界からは出ていくけれど』キム・チョヨプ**
⑤ **『クォークビーストの歌』ジャスパー・フォード**

『グレイス・イヤー』は翻訳を心待ちにしていた作品だった。わたしたちが直面する現実をSF的想像力で描く、わたしの好きなSFがそこにはあった。『最後の三角形』『寝煙草の危険』『この世界からは出ていくけれど』はどれも優劣つけがたい傑作短篇集だった。短篇が好きだ、そのことを再確認した。

COCO
作家・絵描き

① **『文明交錯』ローラン・ビネ**
② **『怪獣保護協会』ジョン・スコルジー**
③ **『鋼鉄紅女』シーラン・ジェイ・ジャオ**
④ **『ブッカケ・ゾンビ』ジョー・ネッター**
⑤ **『異能機関』スティーヴン・キング**

読み物としては①が圧倒的。スコルジーは期待を裏切らない②。重さも遊びの要素もバランスのよい③、④を読むと世界にはこういう本も必要なんだと思わされる。やや自己再生産的ながらやっぱり読まされる⑤。

小谷真理
SF&ファンタジー評論家

① **『この世界からは出ていくけれど』キム・チョヨプ**
② **『蒸気駆動の男 朝鮮王朝スチームパンク年代記』イ・ソヨン、チョン・ミョンソプ、パク・エジン、キム・イファン、パク・ハル**
③ **『最後の三角形 ジェフリー・フォード短篇傑作選』ジェフリー・フォード**
④ **『未来省』キム・スタンリー・ロビンスン**
⑤ **『どれほど似ているか』キム・ボヨン**

キム大活躍の一年。今年は韓国SFの思弁性に打たれた。④の提起する環境SF観には舌を巻いた。他の作品も改めて再読しなければ。他にロバート・E・ハワード『愛蔵版英雄コナン全集2』（新紀元社）の中村融氏の熱血解説がすばらしかった。愛蔵版企画全体含めて絶賛したい。

堺 三保
ライター

① **『輝石の空』N・K・ジェミシン**
② **『ミッキー7』エドワード・アシュトン**
③ **『地球の果ての温室で』キム・チョヨプ**
④ **『怪獣保護協会』ジョン・スコルジー**
⑤ **『未来省』キム・スタンリー・ロビンスン**

なかなかバラエティ豊かな選出となったと思うのですが、どうでしょう？

坂永雄一
SF文筆業

① **『最後の三角形 ジェフリー・フォード短篇傑作選』ジェフリー・フォード**
② **『チク・タク×10』ジョン・スラデック**
③ **『サンドマン 序曲』ニール・ゲイマン**
④ **『美しき血』ルーシャス・シェパード**
⑤ **『穏やかな死者たち シャーリイ・ジャクスン・トリビュート』エレン・ダトロウ＝編**

ジェフリー・フォード「イーリン・オク伝」は初読時からずっと偏愛する一篇です。

坂村 健
電脳建築

① **『未来省』キム・スタンリー・ロビンスン**
② **『鏖戦／凍月』グレッグ・ベア**

③『ガーンズバック変換』陸秋槎
④『メアリ・ジキルと怪物淑女たちの欧州旅行 1ウィーン篇 アテナ・クラブ』シオドラ・ゴス
⑤『火星からの来訪者 知られざるレム初期作品集』スタニスワフ・レム

翻訳出版に関係しているが『未来省』はぜひ推したい。日本では知られていないがCliFi（気候小説）というジャンルが海外では確立している。本作はその中でも特に欧米で話題になった意欲作だ。緩和から適応、技術から制度まで——全ての領域を描く網羅性のためか散文的、語り手もコロコロ変わる百八章。リーダビリティは良くないかもしれない。それでも今こそ読むべき、社会全体の構造変革過程を真正面から描いている凄いSF。

佐倉きの

インフラエンジニア

①『寝煙草の危険』マリアーナ・エンリケス
②『最後の三角形 ジェフリー・フォード短篇傑作選』ジェフリー・フォード
③『デューン 砂漠の救世主〔新訳版〕』フランク・ハーバート
④『ガーンズバック変換』陸秋槎
⑤『チェコSF短編小説集2』ヤロスラフ・オルシャ・jr.、ズデニェク・ランパス＝編／平野清美＝編訳

①は装丁も美しい奇想の小箱。②のフォードはいつも予想を上回る完成度ですが、今回も参りました。③は映画も待ってます！ ④は出身高校が同じくらいの距離感で存分に楽しませていただきました。⑤はチェコ語からの翻訳であることの贅沢に感謝。またアジア作家アンソロジー『絶縁』も素晴らしかったです。いかなる存在も不当に尊厳を脅かされることのない世界を望みます。

佐々木敦

思考家・批評家・文筆家

①『チク・タク×10』ジョン・スラデック
②『SFの気恥ずかしさ』トマス・M・ディッシュ
③『文明交錯』ローラン・ビネ
④『どれほど似ているか』キム・ボヨン
⑤『フランケンシュタインの工場』エドワード・D・ホック

ディッシュとスラデックの「新刊」が出た二〇二三年だった。でもディッシュもスラデックもまだ未訳の作品がある。スラデックは『キャンプ・コンセントレーション』を新訳でお願いします。ディッシュは“*The Müller-Fokker Effect*”、ベイカー、ソローキン、パワーズ、パラニューク、ウエルベックetc……現代ブンガクってエスエフだなあと。チョヨプ『この世界からは出ていくけれど』、スタージョン『夢見る宝石』新訳も良かったです。

佐藤 大

脚本家

①『グレイス・イヤー 少女たちの聖域』キム・リゲット
②『アメリカへようこそ』マシュー・ベイカー
③『異能機関』スティーヴン・キング
④『オレンジ色の世界』カレン・ラッセル
⑤『美しき血』ルーシャス・シェパード

今年は新旧SFプロパーの作家ではない人たちの作品に惹かれた一年でした。異色も含む少し不思議なSFというジャンルが持つ幅の広さもあらためて感じました。時にファンタジー的な素材や世界観でありながら、現実との強固な繋がりを描く。現実逃避とは真逆な社会性を持つ作品に作劇への勇気をもらいました。長篇では少年少女たちが主役の作品を選んでいたのは、どこかで自分もこうした物語を描きたいと思っていたからかも。

三方行成

小説家

①『チク・タク×10』ジョン・スラデック
②『怪獣保護協会』ジョン・スコルジー
③『異能機関』スティーヴン・キング
④『クォークビーストの歌』ジャスパー・フォード

⑤『メアリ・ジキルと怪物淑女たちの欧州旅行　1ウィーン篇　アテナ・クラブ』シオドラ・ゴス

世の中にはいい小説があります。いいんだ小説もあります。こんなこと書いてもいいんだ小説です。『チク・タク×10』はブラックユーモア満載の素敵ないいんだ小説でした。訳者あとがきも興味深く読みました。

志村弘之　SF読者

①『人類の知らない言葉』エディ・ロブソン
②『輝石の空』N・K・ジェミシン
③『ギリシャSF傑作選　ノヴァ・ヘラス』フランチェスカ・T・バルビニ、フランチェスコ・ヴァルソ＝編
④『この世界からは出ていくけれど』キム・チョヨプ
⑤『未来省』キム・スタンリー・ロビンスン

ビジョルド『魔術師ペンリックの仮面祭』は久しぶり。スコルジー『怪獣保護協会』はほんとに怪獣の話、そしてなんだかいい話。ジャオ『鋼鉄紅女』は巨大ロボットもの、ヒロインが素晴らしい。ディヴィヤ『マシンフッド宣言』の世界で暮らすのは大変そうだけど、マシンのことは考えたい。アシュトン『ミッキー7』クローンとテセウスの船と異星の環境の事。リー『蘇りし銃』で六連合の暦法の三部作は完結。

下楠昌哉　英文学者

①『ミン・スーが犯した幾千もの罪』トム・リン
②『最後の三角形　ジェフリー・フォード短篇傑作選』ジェフリー・フォード
③『新編　怪奇幻想の文学4　黒魔術』紀田順一郎、荒俣宏＝監修
④『幽霊綺譚　ドイツ・ロマン派幻想短篇集』ヨハン・アウグスト・アーペル、フリードリヒ・ラウン、ハインリヒ・クラウレン
⑤『吸血鬼ヴァーニー　或いは血の饗宴』ジェームズ・マルコム・ライマー、トマス・ペケット・プレスト

①この作品に投票するのを去年から待ちわびた。西部劇を見て育って世代にはたまらないマジック・リアリズム活劇。②ジョイス、露伴、ビーグル……。名作を別テイストで味わっているかのような錯覚に陥った。③前巻『恐怖』も今年刊行。幻想と怪奇の定番を精選再選。④なんとバイロンやシェリーがフランス語で朗読した怪奇譚の、ドイツ語原著からの短篇群。⑤本当にこの先までいけるのか。がんばれヴァーニー。

十三不塔　作家

①『鋼鉄紅女』シーラン・ジェイ・ジャオ
②『蒸気駆動の男　朝鮮王朝スチームパンク年代記』イ・ソヨン、チョン・ミョンソプ、キム・イファン、パク・エジン、パク・ハル
③『ガーンズバック変換』陸秋槎
④『美しき血』ルーシャス・シェパード
⑤『チク・タク×10』ジョン・スラデック

『蒸気駆動の男』には本当の歴史に立ち込めているのと同じ暗さの霧（蒸気か）がある。どれも面白く読んだが、トップは『鋼鉄紅女』を推したい。武則天の名を冠したヒロインが挑むのは巨大怪獣よりむしろ抑圧的な社会だ。登場人物たちの行く末を最後まで見届けたいと思わせる魅力がこの作品にはある。『ガーンズバック変換』では短篇「開かれた世界から有限宇宙へ」がとても気に入っている。

水鏡子　SFロートル

①『どれほど似ているか』キム・ボヨン
②『アメリカへようこそ』マシュー・ベイカー
③『超新星紀元』劉慈欣
④『蒸気駆動の男　朝鮮王朝スチームパンク年代記』イ・ソヨン、チョン・ミョンソプ、キム・イファン、パク・エジン、パク・ハル
⑤『美しき血』ルーシャス・シェパード
㊀『SFの気恥ずかしさ』トマス・M・ディッシュ

ジェミシンはじめ読みこぼし多数。中国・韓国SFが過半数。韓国SFは紹介者による偏りかもしれないが、現実の社会や日常性へのSFの落とし込まれ方がすばらしい。それは②にもいえるのだが、「SFであることへの方向性はたぶん真逆。①はこれまで読んだ韓国SFの最高作。③劉慈欣は「ワイドスクリーンバロックなクラーク」（？）である。⑤と⑳には、過去への気恥ずかしい憧憬が混在している。

鈴木力 ライター

①『時ありて』イアン・マクドナルド
②『美しき血』ルーシャス・シェパード
③『チェコSF短編小説集2』ヤロスラフ・オルシャ・jr.、ズデニェク・ランパス＝編／平野清美＝編訳
④『この世界からは出ていくけれど』キム・チョヨプ
⑤『最後の三角形　ジェフリー・フォード短篇傑作選』ジェフリー・フォード

①②はダントツ。順位は便宜上つけたもので、どちらが一位でも構いません。③は収録作「片肘だけの六カ月」に驚かされました。宮内悠介や藤井太洋が書いたといってもおかしくない作品が、ビロード革命前のチェコで書かれていたなんて。

スズキトモユ 人間

①『チク・タク×10』ジョン・スラデック
②『インヴェンション・オブ・サウンド』チャック・パラニューク
③『この世界からは出ていくけれど』キム・チョヨプ
④『ギリシャSF傑作選　ノヴァ・ヘラス』フランチェスカ・T・バルビニ、フランチェスコ・ヴァルソ＝編

四冊のみとなります。生成AIの導入に関する検討会議に参加した帰りに、携帯端末でこれらの作品を読むという新鮮な体験をしました。可愛らしいテーマの作品や深刻なテーマの作品の評価が高くなる傾向にあると自覚しています。AIへの依存は日々高まっており、この短文コメントについても念のためAIによる確認を受けております。

添野知生 映画評論家

①『未来省』キム・スタンリー・ロビンスン
②『マシンフッド宣言』S・B・ディヴィヤ
③『文明交錯』ローラン・ビネ
④『輝石の空』N・K・ジェミシン
⑤『モンスター・パニック！』マックス・ブルックス

『未来省』と『文明交錯』は夢を書いている。あり得たかもしれない、あり得るかもしれない夢。夢を鏡にして私たち自身の姿を映し出すのはSFの基本的な手法で、それが今でもこんなに大きな力を発揮することがうれしい。『マシンフッド宣言』はありそうでなかった「労働」を主テーマにした近未来SFで、これも今の私たちに切実に必要なものと感じた。「破壊された地球」三部作はこのまま日本でアニメ化すればいいのにと思う。

代島正樹 SFセミナースタッフ

①『SFの気恥ずかしさ』トマス・M・ディッシュ
②『チク・タク×10』ジョン・スラデック
③『吸血鬼は夜恋をする　SF&ファンタジイ・ショートショート傑作選』R・F・ヤング、R・マシスン他＝著、伊藤典夫＝編訳
④『ジョン・ハリス作品集　水平線の彼方』ジョン・ハリス
⑤『サイエンス・フィクション大全　映画、文学、芸術で描かれたSFの世界』グリン・モーガン＝編

①ついに出た感慨と質量に圧倒されて。②スラデックのロボットものの代表作登場。③伊藤典夫編訳アンソロジーが、九篇も増補して初文庫化。④SFアート集。まとめて見ていたら金森達の質感を連想。同じグラフィック社の⑤は原書が博物館展示の図録だが、大

判のSF総合ヴィジュアルブックとしては同社一九九八年刊『SF大百科事典』以来か。《デューン》『何かが道をやってくる』『夢みる宝石』など名作新訳の動きも活発だった。

高島雄哉 小説家＋SF考証

①『この世界からは出ていくけれど』キム・チョヨプ
②『ニードレス通りの果ての家』カトリオナ・ウォード
③『滅ぼす』ミシェル・ウエルベック
④『最後の三角形　ジェフリー・フォード短篇傑作選』ジェフリー・フォード
⑤『見ること』ジョゼ・サラマーゴ

アジア圏の翻訳はさらに盛んになって良いと思いつつ、なるべく異なるベクトルの五作を。

高槻真樹 SF評論・映画研究者

①『サイエンス・フィクション大全　映画、文学、芸術で描かれたSFの世界』グリン・モーガン＝編
②『穏やかな死者たち　シャーリイ・ジャクスン・トリビュート』エレン・ダトロウ＝編
③『どれほど似ているか』キム・ボヨン
④『美しき血』ルーシャス・シェパード
⑤『寝煙草の危険』マリアーナ・エンリケス

こちらも展覧会図録を①とした。コロナ禍のさなか、英サイエンス・ミュージアムで開催された展覧会だそうで、参加できなかったのは痛恨だが、非英語圏作品を重視した内容は注目に値する。映画に関する記述も興味深い。以降はフィクションを並べたが、充実作が多すぎて韓国SFですべて埋める野望は挫折。③で代表させた。対象期間ギリギリに飛びこんできた④も、無理してでも読んでよかった充実作。周辺作の②⑤が戦慄の完成度。

高橋良平 SF批評

①『SFの気恥ずかしさ』トマス・M・ディッシュ
②『文明交錯』ローラン・ビネ
③『チク・タク×10』ジョン・スラデック
④『異能機関』スティーヴン・キング
⑤『怪獣保護協会』ジョン・スコルジー

ディッシュの評論集は二十一世紀の今も充分に刺激的です。彼の盟友だったスラデックの黒い笑いに満ちたロボットSFは、現在のAGIの問題と無関係ではないようですし、異能作家による改変歴史は驚きと笑いをもたらしてくれ、キングはプロパーSFではめったにお目にかかれないストーリーテリングを堪能させてくれました。スコルジーのKAIJU小説は軽みが身上で、爽やかな読後感も大切にしたいですね。

立原透耶 物書き、中華圏SF愛好家

●『ガーンズバック変換』陸秋槎
●『鋼鉄紅女』シーラン・ジェイ・ジャオ
●『どれほど似ているか』キム・ボヨン
●『蒸気駆動の男　朝鮮王朝スチームパンク年代記』イ・ソヨン、チョン・ミョンソプ、パク・エジン、キム・イファン、パク・ハル
●『この世界からは出ていくけれど』キム・チョヨプ

昔懐かしい雰囲気のSFが個人的には好みである。そういった意味で、翻訳紹介された韓国SFは好みのものが多かった。他のも読んではいるのだが、どうしてもアジアSFに偏ってしまうのはもはや病甲骨に入る、である。

巽孝之 SF批評家

①『どれほど似ているか』キム・ボヨン
②『最後の三角形　ジェフリー・フォード短篇傑作選』ジェフリー・フォード
③『穏やかな死者たち　シャーリイ・ジャクスン・トリビュート』エレン・ダトロウ＝編
④ *“The Big Book of Cyberpunk”* Jared Shurin
⑤ “*Remembrance Selected*

"Correspondence of Ray Bradbury" Ray Bradbury, Jonathan R. Eller＝編

ボヨン短篇集はハードＳＦ的設定を深く思弁し未来的日常スタイルとして転形させた秀作ぞろい。表題作は小松左京の「明日の大文学」に肉薄する。現代幻想文学の巨匠フォードの選集では十九世紀アメリカ詩人ディキンスンへのオマージュが出色。ダトロウ編著はエリザベス・ハンドの秀作を含む豪華な陣容。サイバーパンク傑作選の全百八篇には藤井太洋など日本産が複数収録。ブラッドベリ書簡集は映画『白鯨』の理解をさらに深める。

田中すけきよ　フリーアーキビスト

①『穏やかな死者たち　シャーリイ・ジャクスン・トリビュート』エレン・ダトロウ＝編
②『最後の三角形　ジェフリー・フォード短篇傑作選』ジェフリー・フォード
③『怪獣保護協会』ジョン・スコルジー
④『モンスター・パニック！』マックス・ブルックス
⑤『メアリ・ジキルと怪物淑女たちの欧州旅行　2ブダペスト篇』シオドラ・ゴス

今年も中国・韓国のラッシュは止まらず。名作ＳＦのコミカライズも印象的だった。久々のケリー・リンクだった『穏やかな死者たち』と愛してやまない「アイスクリーム帝国」が収録された『最後の三角形』は外せない。

田中 光　イラストレーター

●『時ありて』イアン・マクドナルド
●『火星からの来訪者　知られざるレム初期作品集』スタニスワフ・レム
●『超新星紀元』劉慈欣
●『美しき血』ルーシャス・シェパード
●『チク・タク×10』ジョン・スラデック

他に、『書架の探偵、貸出中』、『人類の知らない言葉』、『ギリシャＳＦ傑作選　ノヴァ・ヘラス』などがよかった。

千葉 集　作家

①『最後の三角形　ジェフリー・フォード短篇傑作選』ジェフリー・フォード
②『美しき血』ルーシャス・シェパード
③『チク・タク×10』ジョン・スラデック
④『人類の知らない言葉』エディ・ロブソン
⑤『K-PUNK　夢想のメソッド――本・映画・ドラマ』マーク・フィッシャー

分厚くて印象的な本が多かったけれど、選ぶとなるとふしぎに薄めの作品ばかり。珠玉という言葉がこれ以上なく相応しい①。有終の感傷が二重に胸をつく②。笑っていいのか笑うしかないのかスラップスティックの極地③。謎解き的に許しがたい部分が散見されるものの細部が魅力的なウィットに富む④。バラードの読み方がやっとわかった気がした⑤。ゲームなら『The Cosmic Wheel Sisterhood』がベスト。

津久井五月　作家

①『鏖戦／凍月』グレッグ・ベア
②『マシンフッド宣言』S・B・ディヴィヤ
③『AI 2041　人工知能が変える20年後の未来』カイフー・リー、チェン・チウファン
④『ChatGPTの頭の中』スティーヴン・ウルフラム
⑤『シンクロニシティ　科学と非科学の間に』ポール・ハルパーン

『鏖戦／凍月』は、特に前半の「鏖戦」がＳＦ小説らしいカッコよさと残酷さに溢れていて、未読だった同著者の『ブラッド・ミュージック』に手を伸ばすきっかけになった。『マシンフッド宣言』『ＡＩ ２０４１』はともに、テクノロジーによって変質した近未来の生活像のディテールが楽しく、勉強にもなる。『ＣｈａｔＧＰＴの頭の中』は、生成ＡＩの特徴と、それを補いうる仕組みについて、コンパクトに解説した好著でした。

都甲幸治

早稲田大学
文学学術院教授

①『見ること』ジョゼ・サラマーゴ

伝染病の流行とともに、隔離や排除といった行為が日常となるにつれて、我々の心は互いに離れてしまった。人々を支配したい権力が、こうした状況につけ込むのは容易い。一九九八年にノーベル文学賞を獲ったサラマーゴは、辛い時代の経験を踏まえて、共感こそが大切であると本書で説く。だからこそ、この本は今読まれる価値がある。

中野善夫

ファンタジイ研究家

①『文明交錯』ローラン・ビネ
②『美しき血』ルーシャス・シェパード
③『未来省』キム・スタンリー・ロビンスン
④『時ありて』イアン・マクドナルド
⑤『地下図書館の海』エリン・モーゲンスターン

①は読んだときに確信し、その気持ちが揺らぐことはなかった。

中藤龍一郎

会社員兼SF研究家

①『チク・タク×10』ジョン・スラデック
②『SFの気恥ずかしさ』トマス・M・ディッシュ
③『誰？』アルジス・バドリス
④『サラゴサ手稿』ヤン・ポトツキ
⑤『時ありて』イアン・マクドナルド

①は奇人スラデックの怪作に。真面目な人には決して薦められない「黒い」ユーモアが良いのです。②はスラデックの盟友ディッシュの評論集。星の数ほどあるSF論の中でもトップに位置する一冊だろう。読者論からSFを捉えるアプローチは斬新。容赦ない悪罵はSFへの愛情の深さゆえか。③のバドリスは小粒な秀作。タイムリーに銀背で翻訳されていたら良かったなあと。④は迷宮小説の白眉。⑤は古書から始まるSFです。

中村融

翻訳家・
アンソロジスト

①『ラヴクラフト・カントリー』マット・ラフ
②『チェコSF短編小説集2』ヤロスラフ・オルシャ・jr.、ズデニェク・ランパス＝編／平野清美＝編訳
③『デューン　砂漠の救世主〔新訳版〕』フランク・ハーバート
④『サイエンス・フィクション大全　映画、文学、芸術で描かれたSFの世界』グリン・モーガン＝編
⑤『美しき血』ルーシャス・シェパード

次点は『鋼鉄紅女』ジーラン・ジェイ・ジャオ、『火星からの訪問者』スタニスワフ・レム。③は訳者あとがきにも注目。《デューン》シリーズを読むうえで重要なヒントがちりばめられている。おかげでいろいろと合点がいきました。

長山靖生

文芸サークル評論家

①『見ること』ジョゼ・サラマーゴ
②『時ありて』イアン・マクドナルド
③『惑う星』リチャード・パワーズ
④『輝石の空』N・K・ジェミシン
⑤『ガーンズバック変換』陸秋槎

選挙で白票が投じられたことに危機感を覚える政府があるユートピア……と思ってしまうのは、どこのディストピアの住民だろう。

名古屋大学SF・ミステリ・幻想小説研究会

大学サークル

①『チェコSF短編小説集2』ヤロスラフ・オルシャ・jr.、ズデニェク・ランパス＝編／平野清美＝編訳
②『三体0　球状閃電』劉慈欣
③『AI　2041　人工知能が変える20年後の未来』カイフー・リー、チェン・チウファン
④『ガーンズバック変換』陸秋槎
⑤『超新星紀元』劉慈欣

今年も中国系の作品ばかりになってしまった。もう少し幅広いジャンルの本を読まないといけないのかも。①レベルの高い短篇ばか

りで素晴らしい。特に「片肘だけの六か月」がイチオシ。②そこまで『三体』と関連しているわけではないが、安定の面白さ。③AI入門書としてもおすすめ。④相変わらずオチが投げっぱなしな感じは否めないが設定は好き。⑤前半は非常に面白かったが、後半の戦争パートが若干くどい。

鳴庭真人
海外SF紹介者・翻訳者

①『鋼鉄紅女』シーラン・ジェイ・ジャオ
②『人類の知らない言葉』エディ・ロブソン
③『怪獣保護協会』ジョン・スコルジー
④『AI　2041　人工知能が変える20年後の未来』カイフー・リー、チェン・チウファン
⑤『未来省』キム・スタンリー・ロビンスン

①は巨大ロボものらしさ・中華趣味・語り手のパワフルな声が面白い味を出していた。②はどんでん返しが小気味よいSFミステリ。③はこの作者らしい軽快なエンタメ。ちょっと軽すぎる気も。④⑤はともに未来シミュレーション小説かつスタンスが好対照。ランキングには入れなかったが『ブレーキング・デイ　減速の日』も良作。

二階堂黎人
小説家

●『エクトール・セルヴァダック』ジュール・ヴェルヌ
●『怪獣保護協会』ジョン・スコルジー
●『フォワード　未来を視る6つのSF』ブレイク・クラウチ＝編
●『ロボット・アップライジング　AIロボット反乱SF傑作選』D・H・ウィルソン＆J・J・アダムズ＝編
●『チク・タク×10』ジョン・スラデック

一位は、ネット配信ドラマ『スタートレック／ピカード』シーズン3。ことに、エンタープライズDが出て来た所で歓声を上げたのは私だけではあるまい。ヴェルヌの『エクトール・セルヴァダック』は、かつて児童書として翻訳された『彗星飛行』の完訳。発表当時としては、とんでもないアイデアだったのだろうな。奇想天外の極み。

橋賢亀
絵描き

●『熊と小夜鳴鳥』キャサリン・アーデン
●『地球の果ての温室で』キム・チョヨプ
●『夢みる宝石』シオドア・スタージョン
●『憎悪の科学　偏見が暴力に変わるとき』マシュー・ウィリアムズ
●『見ること』ジョゼ・サラマーゴ

林　譲治
SF作家

①『超新星紀元』劉慈欣
②『蒸気駆動の男　朝鮮王朝スチームパンク年代記』イ・ソヨン、チョン・ミョンソプ、パク・エジン、キム・イファン、パク・ハル
③『AI　2041　人工知能が変える20年後の未来』カイフー・リー、チェン・チウファン
④『火星からの来訪者　知られざるレム初期作品集』スタニスワフ・レム

近年感じられるようになってきた非英米SFの活躍が今年はより明確になった印象があります。

林　哲矢
SFレビュアー

①『チク・タク×10』ジョン・スラデック
②『蒸気駆動の男　朝鮮王朝スチームパンク年代記』イ・ソヨン、チョン・ミョンソプ、パク・エジン、キム・イファン、パク・ハル
③『最後の三角形　ジェフリー・フォード短篇傑作選』ジェフリー・フォード
④『ガーンズバック変換』陸秋槎
⑤『ギリシャSF傑作選　ノヴァ・ヘラス』フランチェスカ・T・バルビニ、フランチェスコ・ヴァルソ＝編

長篇が読めてないので作品集に偏りつつ、①は不動。さすが、スラデック。

春暮康一　SF作家

①『鏖戦／凍月』グレッグ・ベア
②『インヴェンション・オブ・サウンド』チャック・パラニューク
③『ガーンズバック変換』陸秋槎
④『ミッキー7』エドワード・アシュトン
⑤『フォワード　未来を視る6つのSF』ブレイク・クラウチ＝編

ずっと読みたいと思いながら読めなかったベアの『鏖戦／凍月』は二篇とも評判に違わぬ名作だった。『ガーンズバック変換』はハードSFからメタ文学まで幅広く、個人的には「色のない緑」がとても好き。『フォワード　未来を視る6つのSF』は初めて読む作家が多く嬉しい。中でも「方舟」の静かな雰囲気が心に残った。

福井健太　書評系ライター

①『チク・タク×10』ジョン・スラデック
②『最後の三角形　ジェフリー・フォード短篇傑作選』ジェフリー・フォード
③『怪獣保護協会』ジョン・スコルジー
④『黒猫になった教授』A・B・コックス
⑤『フランケンシュタインの工場』エドワード・D・ホック

世俗的なノイズを排した思考遊戯に徹し、人間社会への強烈な皮肉、黒いユーモア、言葉遊びを詰め込んだロボットSF。何処を切っても濃い作家性が噴き出す①はもはや別格としたい。②はSFやホラーを含む広義の幻想小説を束ねた傑作集。③は怪獣（に関わる人々）への愛に満ちた娯楽作。バークリーのユーモア長篇である④と〈コンピュータ検察局〉シリーズの⑤が邦訳されたことは、本格ミステリ読者にとっての慶事だった。

藤井太洋　SF作家

①『AI　2041　人工知能が変える20年後の未来』カイフー・リー、チェン・チウファン
②『どれほど似ているか』キム・ボヨン
③『七月七日』ケン・リュウ、藤井太洋他
④『ギリシャSF傑作選　ノヴァ・ヘラス』フランチェスカ・T・バルビニ、フランチェスコ・ヴァルソ＝編
⑤『この世界からは出ていくけれど』キム・チョヨプ

韓国SFの翻訳が早まり、F・ヴェルソの非英語圏出版が日本に届いたことが嬉しい二〇二三年だったが、なんと言っても今年を象徴するのは生成AI。ケン・リュウは「SFは未来予測をしていない」と言い、テッド・チャンは「GPTはぼやけたWeb」を寄稿した。拝聴に値する言葉だったが、陳楸帆《チェン・チウファン》の大胆なエンターテインメントと李開復の緻密な解説による『AI　2041』は、見事にSFの役割を果たしてくれた。

藤田雅矢　作家・植物育種家

①『文明交錯』ローラン・ビネ
②『地球の果ての温室で』キム・チョヨプ
③『蒸気駆動の男　朝鮮王朝スチームパンク年代記』イ・ソヨン、チョン・ミョンソプ、パク・エジン、キム・イファン、パク・ハル

①はインカ帝国がスペインを征服した歴史、③は朝鮮王朝に現れる蒸気駆動の男を背景にした連作クロニクル、ともにもう一つの歴史を体験できる傑作。そして、今年は②のような植物SFの物語が読めて大変うれしい。

冬木糸一　書評家

①『未来省』キム・スタンリー・ロビンスン
②『AI　2041　人工知能が変える20年後の未来』カイフー・リー、チェン・チウファン
③『輝石の空』N・K・ジェミシン
④『ガーンズバック変換』陸秋槎
⑤『マシンフッド宣言』S・B・ディヴィヤ

①と②の作品はどちらもノンフィクションとフィクションが混じった構成で単純に僕の

好みにあっていた。特に前者は気候変動SFとしてはこれを超えるものはなかなかでないのではと思う。③は近年のサイエンスファンタジーの中ではトップクラスのおもしろさを僕の中でほこった作品。④は、SF短篇&著者の良い点が凝縮されている。⑤は薬物依存やAIによる労働の代替など、現代的なテーマが多く内包されていて好き。

細谷正充

文芸評論家

1《メアリ・ジキルと怪物淑女たちの欧州旅行》シリーズ　シオドラ・ゴス
②『ガーンズバック変換』陸秋槎
③『最後の語り部』ドナ・バーバ・ヒグエラ
④『怪獣保護協会』ジョン・スコルジー
⑤『チク・タク×10』ジョン・スラデック

①は、このシリーズが好きすぎるので、出版されれば自動的に一位である。②は短篇集。SFではなくファンタジーだが、「物語の歌い手」は傑作だ。③④も、それぞれ面白い。⑤は、よくぞ翻訳してくれたと感謝。竹書房文庫は頑張っているなあ。

牧 眞司

SF研究家・文藝評論家

①『美しき血』ルーシャス・シェパード
②『何かが道をやってくる〔新訳版〕』レイ・ブラッドベリ
③『火星からの来訪者　知られざるレム初期作品集』スタニスワフ・レム
④『吸血鬼は夜恋をする　SF&ファンタジイ・ショートショート傑作選』R・F・ヤング、R・マシスン他＝著、伊藤典夫＝編訳
⑤『時ありて』イアン・マクドナルド

シェパード、ブラッドベリ、レム、マクドナルド、いずれも比類なきスタイルを持った才能ですね。作家で選んだわけではないけれど、印象に残った作品をあげていったら、こういう結果になりました。

牧 紀子

雑誌編集者、SFイラスト愛好家

●『時ありて』イアン・マクドナルド
●『時間への王手』マルセル・ティリー
●『書架の探偵、貸出中』ジーン・ウルフ
●『火星からの来訪者　知られざるレム初期作品集』スタニスワフ・レム
●『怪獣保護協会』ジョン・スコルジー

気がつけば、今年は時間SFにかたよってしまいました。なお、五点のほかに最後まで悩んだのは、『フォワード』『AI　2041』など。

増田まもる

翻訳家

①『チク・タク×10』ジョン・スラデック
②『美しき血』ルーシャス・シェパード
③『SFの気恥ずかしさ』トマス・M・ディッシュ
④『火星からの来訪者　知られざるレム初期作品集』スタニスワフ・レム
⑤『キヴォーキアン先生、あなたに神のお恵みを』カート・ヴォネガット

今年特筆すべきはジョン・スラデックの問題作を訳してくれた鯨井久志という若き翻訳家の出現である。なんと、まだ二十代ではないか。しかもその視線ははるか世界に向けられている。日本のSF翻訳にはまだまだ希望がもてると思う。

松崎健司（らっぱ亭）

放射線科医（ラファティアン）

①『最後の三角形　ジェフリー・フォード短篇傑作選』ジェフリー・フォード
②『美しき血』ルーシャス・シェパード
③『チク・タク×10』ジョン・スラデック
④『穏やかな死者たち　シャーリイ・ジャクスン・トリビュート』エレン・ダトロウ＝編
⑤『サイエンス・フィクション大全　映画、文学、芸術で描かれたSFの世界』グリン・モーガン＝編

円安の影響はちょっとツラいけど、旧作も新作も続々と翻訳紹介される良い時代になったものだなあ。海外ではアヴラム・デイヴィッドスン生誕百周年記念出版で新作品集が出たり、ジーン・ウルフの新短篇集が二冊も出

たりとＳＦロートルな私も感涙ものだったが、来年はいよいよＲ・Ａ・ラファティの自伝的マジック・リアリズムな連作 *"In a Green Tree"* 完全版が刊行予定。これはもう、読まずに死ねるか！（フラグ）

宮樹弌明　会社員・ライター

①**『輝石の空』Ｎ・Ｋ・ジェミシン**
②**『吹雪』ウラジーミル・ソローキン**
③**『三体０　球状閃電』劉慈欣**
④**『鏖戦／凍月』グレッグ・ベア**
⑤**『ＳＦの気恥ずかしさ』トマス・Ｍ・ディッシュ**

二〇二三年もロシアやアジアＳＦの紹介、過去の名作の復刊、未訳作品の邦訳など話題性のある作品が多く刊行され満足感が高かった。中でも①は三部作通して骨太な圧巻の作品で、強く印象に残った。

三宅香帆　書評家

①**『どれほど似ているか』キム・ボヨン**
②**『ガーンズバック変換』陸秋槎**
③**『逃げ道』ナオミ・イシグロ**
④**『グレイス・イヤー　少女たちの聖域』キム・リゲット**
⑤**『三体０　球状閃電』劉慈欣**

『どれほど似ているか』、中国ＳＦの次は韓国ＳＦの時代が来るのでは？　と思わせる名短篇集でした！

森下一仁　本読み／著述

①**『最後の三角形　ジェフリー・フォード短篇傑作選』ジェフリー・フォード**
②**『チク・タク×10』ジョン・スラデック**
③**『人類の知らない言葉』エディ・ロブソン**
④**『書架の探偵、貸出中』ジーン・ウルフ**
⑤**『赦しへの四つの道』アーシュラ・Ｋ・ル・グィン**

ル・グィンの作品は奥付が十月だけど、入手したのは十一月。どうすりゃいいのよと悩みましたが、落としてしまうにはもったいないので。『人類の知らない言葉』はドタバタ感をもっと出した日本語訳がよかったように思う。スラデックは現代アメリカを撃っている。ウルフは小説を書くのが楽しくてしょうがないという感じで逝ってしまいましたね。ジェフリー・フォードは文句なし。

柳下毅一郎　特殊翻訳家

①**『チク・タク×10』ジョン・スラデック**
②**『ＳＦの気恥ずかしさ』トマス・Ｍ・ディッシュ**
③**『滅ぼす』ミシェル・ウエルベック**
④**『サラゴサ手稿』ヤン・ポトツキ**
⑤**『吹雪』ウラジーミル・ソローキン**

まずは七年ぶりにジョン・スラデックの長篇が翻訳されたことを寿ぎたい。『チク・タク×10』はアシモフ回路が壊れたロボットの話なのだが、今読むと、ほとんどサイコパス殺人鬼について書かれたもののように読める。スラデック、実は実録犯罪系も意外とイケたのではないか……などと妄想がはかどる。

山岸真　ＳＦ翻訳業

①**『鏖戦／凍月』グレッグ・ベア**
②**『鋼鉄紅女』シーラン・ジェイ・ジャオ**
③**『マシンフッド宣言』Ｓ・Ｂ・ディヴィヤ**
④**『地球の果ての温室で』キム・チョヨプ**
⑤**『美しき血』ルーシャス・シェパード**

①は昔の作品の合本だし自分も企画に関わった本ですが、マイ・オールタイムベスト・ノヴェラ収録なので。⑤は約四十年読み継いだシリーズ終結への感慨から。あとは長篇を三つ選んで無理矢理順位をつけた。作品集を三つなら、李開復＆陳楸帆『ＡＩ　２０４１』（陳楸帆の十篇全部が初訳中短篇の年度ベスト級）、キム・チョヨプ『この世界からは出て行くけれど』、陸秋槎『ガーンズバック変換』。

山之口洋　作家／AI技術者

① 『サラゴサ手稿』ヤン・ポトツキ
② 『未来省』キム・スタンリー・ロビンスン
③ 『科学捜査とエドモン・ロカール　フランスのシャーロック・ホームズと呼ばれた男』ジェラール・ショーヴィ
④ 『時ありて』イアン・マクドナルド
⑤ 『三体0　球状閃電』劉慈欣

①銀弾で自裁したポーランドの大貴族が遺し、作者の運命同様に原著、さらに訳書までもが数奇な運命を辿ったこの作品の一部を、工藤幸雄さんの名訳で読んで四十年余。生きているうちに完訳を、しかも岩波文庫で読めるとは思わなかった。③を読めば、国際刑事警察機構（インターポール）の本部が百年間もリヨンに置かれている理由がわかる。②④⑤は個人的に全作フォロー中の作者の最新刊。

YOUCHAN　イラストレーター

① 『図書館』ゾラン・ジヴコヴィチ
② 『チク・タク×10』ジョン・スラデック
③ 『書架の探偵、貸出中』ジーン・ウルフ
④ 『キヴォーキアン先生、あなたに神のお恵みを』カート・ヴォネガット
⑤ 『新編　怪奇幻想の文学4　黒魔術』

二〇二三年は書肆盛林堂より《ゾラン・ジヴコヴィチ　ファンタスチカ》の刊行が始まった記念すべき年であった。第一弾『図書館』は本好きにぐさぐさ刺さる名作。本好きといえばウルフ『書架の探偵…』は外せない。それにつけてもスラデック、邦題含め、その怪作・快作っぷりときたら！

ゆずはらとしゆき　小説家&企画編集者

① 『地球の果ての温室で』キム・チョヨプ
② 『異能機関』スティーヴン・キング
③ 『インヴェンション・オブ・サウンド』
④ 『キヴォーキアン先生、あなたに神のお恵みを』カート・ヴォネガット
⑤ 『ブッカケ・ゾンビ』ジョー・ネッター

①植物に埋もれたポストアポカリプス世界を大江的価値観と叙情性強めの文体で書く。優しさに慣れるまで時間がかかるが過不足なく。帯は余計。TBSラジオ界隈で推されないと売れないのは分かるが。②キングの影響を受けた本邦の異能バトルものも四十年で凄まじく進化しているが、本家は格が違う。③構造と語り口は最高。SF的仕掛けの化学反応はやや不完全燃焼。④おまけのボーナストラック。⑤愛すべきエログロバカ枠。

吉田親司　小説家

● 『モンスター・パニック！』マックス・ブルックス
● 『ロボット・アップライジング　AIロボット反乱SF傑作選』D・H・ウィルソン&J・J・アダムズ＝編
● 『人類の知らない言葉』エディ・ロブソン
● 『ミッキー7』エドワード・アシュトン
● 『生存の図式』ジェイムズ・ホワイト

国内篇と同様、こちらも順不同です。『ワールドウォーZ』がフロックでなかったと証明した①が好みですが、他もすべて捨て難い。それぞれ単巻で面白いのがなにより。何巻も続く大長篇がそろそろしんどくなって参りましたもので……。

ワセダミステリ・クラブ　文芸サークル

① 『文明交錯』ローラン・ビネ
② 『蒸気駆動の男　朝鮮王朝スチームパンク年代記』イ・ソヨン、チョン・ミョンソプ、パク・エジン、キム・イファン、パク・ハル
③ 『三体0　球状閃電』劉慈欣
④ 『鋼鉄紅女』シーラン・ジェイ・ジャオ
⑤ 『惑う星』リチャード・パワーズ

①もしインカ帝国がスペインを征服していたら——史実とは真逆の世界を描く歴史改変SF。②は蒸気で動く男・都老の彷徨を描くアンソロジー。朝鮮の歴史とロマンが詰まった良作。③は科学と軍事の密接な関係性を、謎めいた自然現象「球電」をテーマに描いた

長篇。④中華×巨大ロボットSF。理不尽に負けない主人公の苛烈なほどの強さが印象的。⑤はSFの衣を纏いつつ、地球の頂点に立つ人類のあり方に一石を投じる傑作。

渡邊利道　文筆業

● **『輝石の空』N・K・ジェミシン**
● **『地球の果ての温室で』キム・チョヨプ**
● **『未来省』キム・スタンリー・ロビンスン**
● **『チク・タク×10』ジョン・スラデック**
● **『美しき血』ルーシャス・シェパード**

『時ありて』イアン・マクドナルド、『サイボーグになる』キム・チョヨプ、キム・ウォニョン『ＳＦの気恥ずかしさ』トマス・Ｍ・ディッシュ、『蘇りし銃』ユーン・ハ・リー『ノヴァ・ヘラス』バルビニ＆ヴァルソ＝編、『どれほど似ているか』キム・ボヨン、『ロボット・アップライジング』ウィルソン＆アダムズ＝編、『最後の三角形』ジェフリー・フォード、『人類の知らない言葉』エディ・ロブソンなどが面白かったです。

渡辺英樹　SF書評家

① **『未来省』キム・スタンリー・ロビンスン**
② **『チク・タク×10』ジョン・スラデック**
③ **『輝石の空』N・K・ジェミシン**
④ **『ギリシャSF傑作選　ノヴァ・ヘラス』フランチェスカ・T・バルビニ、フランチェスコ・ヴァルソ＝編**
⑤ **『SFの気恥ずかしさ』トマス・M・ディッシュ**

①は気候変動問題に真っ向から取り組んだ意欲作。現代社会への分析と近未来への外挿が見事。②は悪逆非道なロボットが印象的な傑作。③は堂々の三部作完結篇。スケールが大きく、楽しめた。④は英米とは異なる手触りを持つギリシャＳＦ傑作選。⑤はＬＤＧ批判を含む評論集。歴史的な意義が高いだけでなく、読んでいて抜群に面白い。

ライトノベルSF

タニグチリウイチ Taniguchi Riuichi

騎士をめざす少女が見た王宮の真実と竜の正体

❶『竜愛づる騎士の誓約』喜咲冬子
❷『勇者症候群』彩月レイ
❸『ステラ・ステップ』林星悟
❹『死亡遊戯で飯を食う。』鵜飼有志
❺『蜘蛛と制服』入江君人
❻『ブレイド&バスタード―灰は暖かく、迷宮は仄暗い―』蝸牛くも
❼『誰が勇者を殺したか』駄犬
❽『ウィザーズ・ブレインX　光の空』三枝零一
❾『帝国第11前線基地魔導図書館、ただいま開館中』佐伯庸介
❿『私は命の縷々々々々々』青島もうじき

漫画に続きアニメも完結した『進撃の巨人』のように、世界が置かれた特殊な状況を設定して、これを暴き壊そうとするストーリーを持つ作品が、喜咲冬子『**竜愛づる騎士の誓約**』だ。許嫁となった領主の子息に嫁ぐ前に王家の騎士として活躍したいと願い、晴れてマルギット王女の衛士に選ばれたセシリアだったが、登城した王宮で王位を巡る争いに巻き込まれ、領主たちの間でも王家に反抗する気運が起こってセシリアを板挟みにする。

王家は、竜を操る力で世界を脅かす悪竜を倒すことで権力を維持していた。その竜の驚くべき正体が、国王と領主たちとの屈従を伴う関係を浮かび上がらせ、王家を信奉するセシリアを迷わせる。若き王女と女騎士との麗しい主従物語が始まると見せて、呪いによって形作られた王国と社領との関係を壊し、新しい世界へと進む道を示すファンタジーだ。

彩月レイ『**勇者症候群**』は、本人は魔物と戦って世界を救っているつもりでも、実際は怪物となって街を破壊し人を殺めている《勇者》が出現するようになった世界が舞台。無念の思いや願望を煽られグロテスクな姿に成り果てた《勇者》の心に潜り、人間に戻そうと説得を試みる主人公の少女が、それでも引き戻せないほど世界を嫌悪した《勇者》と出会い挫折感を覚える様に、〝無敵の人〟が生まれないようにすることの難しさを感じる。

隕石によって荒廃した世界では、暴力を避け「アイドル」と呼ばれる少女たちの歌で国家間の紛争を解決するようになっていた。そんな設定の林星悟『**ステラ・ステップ**』は、レインという名の無敗のアイドルが、いつも賑やかなハナという新人アイドルと出会い、自分の身に起こっていた危機を乗り越えアイドルとして成長していく姿を描く。第一巻の最後でハナの驚くべき正体が判明し、第二巻でアイドルを道具として酷使する「鉄の国」に移ったレインを苛烈な事態が襲う。アイドルも世界も救われる道を探って物語は進む。

「このライトノベルがすごい！２０２４」で文庫部門二位となった鵜飼有志『**死亡遊戯で飯を食う。**』は、金のために少女たちが死のゲームを戦うギャンブルという設定の上で、賞金よりもどれだけの回数を生き延びられるかを求める幽鬼という少女の虚無的な心情に

タニグチリウイチ氏が選んだ!

2023年度

ライトノベルSF作品 ベスト3

吸い込まれそうになる。血や内臓が吹き出ないよう、戦う少女たちに改造を施した技術が現実離れしていて謎めく。

異世界に転生してスライムや蜘蛛になってそこから這い上がる物語なら過去にもあるが、転移した異世界で蜘蛛に食われるヒロインは他にはいない。入江君人**『蜘蛛と制服』**は自分を餌として食べる子蜘蛛たちと親子のような関係を作り、冒険者を倒したり自分は魔王の娘だと名乗った子蜘蛛の話を聞いたりしながら苛烈な世界を旅していく。苛烈だった元いた世界での日々が、いつか全身を蜘蛛に食われても構わないと思わせたのだとしたら悲しいが、死ぬことよりも必要とされることに喜びを覚える感情はそれで尊いのだろう。

コンピュータゲームのRPGジャンルを切り開き、ファンタジー小説の世界にも影響を与えた「ウィザードリィ」の世界を小説で描いた作品が、『ゴブリンスレイヤー』の蝸牛くも**『ブレイド&バスタード—灰は暖かく、迷宮は仄暗い—』**だ。迷宮内に転がっている死体を回収し蘇らせて金を稼いでいるという独特な設定の主人公が、仲間たちと蘇生に失敗すれば灰となって散る緊張感のある戦いに挑むスリリングな読み味が、「ウィザードリィ」を遊ぶ時ならではの緊張感と重なる。

魔王を倒した四人組パーティが帰還したが、勇者だけが戦いの中で命を落として戻らなかった。記録編纂のために勇者の死の様子を残った三人に訊ね歩くストーリーの中、勇者の身に起こっていたある事態が浮かび上がる。駄犬**『誰が勇者を殺したか』**はそんなミステリ的関心で誘いつつ、未来を拒絶するのではなく信じて選び取る大切さを感じさせるSF的な設定で楽しませる。鍛錬と称して主人公にパシリをさせる美少女キャラが良い。

三枝零一のシリーズが二十二年をかけ**『ウィザーズ・ブレインX　光の空』**で完結。滅亡に向かう中、魔法士と人間とが生存をかけて争っていた世界で、魔法士でありながら両者が共存できる道を探り続けた天樹錬の戦いが決着を見た。相容れない存在が傷つけ合っている今の世界を予言したものなら、物語のような解決への道もあると信じたくなる。

佐伯庸介**『帝国第11前線基地魔導図書館、ただいま開館中』**は、魔王軍と戦う最前線で、図書館司書が魔導書を発動させて起こす事態の凄まじさを描いた上で、強力すぎる兵器を振るう者の苦悩を感じさせる。映画『オッペンハイマー』にも通じる作品だ。

『異常論文』に「空間把握能力の欠如による次元拡張レウム語の再解釈およびその完全な言語的対称性」を寄せた青島もうじきの長篇**『私は命の縷々々々々』**は、さまざまな生物の持つ生殖や生活環境を人間が取り入れられるようになった未来に生きる少女たちを通して、生命とは何か、愛とはどういうものなのかを探求したSFだった。

たにぐち・りういち●65年生れ。書評家。〈ＳＦマガジン〉〈ミステリマガジン〉などでライトノベル評担当。趣味の書評サイト「積ん読パラダイス」は1800冊突破。

ベスト10 サブジャンル別 & 総括

国内&海外ファンタジイ

情緒豊かな幻想で読者を誘う ジェフリー・フォードならではのマジック

卯月 鮎 UZUKI AYU

❶**『最後の三角形　ジェフリー・フォード短篇傑作選』** ジェフリー・フォード
❷**『美しき血』** ルーシャス・シェパード
❸**《レーエンデ国物語》** 多崎礼
❹**『神々の宴』** 乾石智子
❺**《冬の王》** キャサリン・アーデン
❻**『地下図書館の海』** エリン・モーゲンスターン
❼**『神獣夢望伝』** 武石勝義
❽**『最果ての泥徒《ゴーレム》』** 高丘哲次
❾**『赤ずきんの森の少女たち』** 白鷺あおい
❿**《ページズ書店の仲間たち》** アナ・ジェームス

二〇二三年のファンタジイシーンは、任天堂のキャラクターが大活躍だった。四月に公開された映画『ザ・スーパーマリオブラザーズ・ムービー』は、全世界興行収入十三億ドル以上と予想を超える大ヒット。また、五月発売のゲーム『ゼルダの伝説　ティアーズ オブ ザ キングダム』は、続篇ながら二千万本を超える売上を記録した。ファミコン期にまかれた物語の種が、日本発のファンタジイ神話になりつつあるのはどこか誇らしい。

アニメでは『葬送のフリーレン』が話題作となった。他種族から人間存在を見つめるフォーマットはしばらく流行るかもしれない。

書籍では本稿でも触れるが、多崎礼**《レーエンデ国物語》**がシリーズ累計十五万部とファンタジイの単行本としては数字を伸ばした。また、今年度の海外11位『鋼鉄紅女』はSF的世界観ながらファンタジイ要素も強い。中国発のスマホゲームのヒットを考えると、小説分野でも日本のオタクカルチャーを下敷きにした中国ファンタジイが日本でブレイクしても不思議はない。

それでは、二〇二三年のファンタジイ十冊を振り返っていきたい。まずは海外。幻想の巨匠ジェフリー・フォードの**『最後の三角形』**は、多彩なジャンルの十四篇が読者を幻惑する。薬物依存症の青年と聡明な老婦人が町に仕掛けられた魔術的陰謀を追う表題作は、緻密かつ情緒豊かなビジョンでフォードならではのマジックが降りそそぐ。

眠れる竜の上に暮らす人々が、今なお発揮される竜の支配力に翻弄されていく寓話《竜のグリオール》シリーズ。その唯一の長篇にして最終作であるルーシャス・シェパード**『美しき血』**。官能美さえ感じる熱帯雨林のような湿度を持った文章。グリオールの世界は人間の本能を揺さぶる。

キャサリン・アーデン**《冬の王》**は、中世ロシアを舞台にした歴史ファンタジイ三部作。人間と精霊のはざまで生きる少女ワーシャがたくましく突き進む。中世ロシア史をキリスト教と土着信仰の相克という切り口から親しみやすく見せた腕が光る。

エリン・モーゲンスターン**『地下図書館の海』**は、本と物語に覆われた地下迷宮を青年が彷徨する様を芳醇なイメージで描く。地下

卯月 鮎氏が選んだ!

2023年度 国内&海外ファンタジイ作品 ベスト3

1

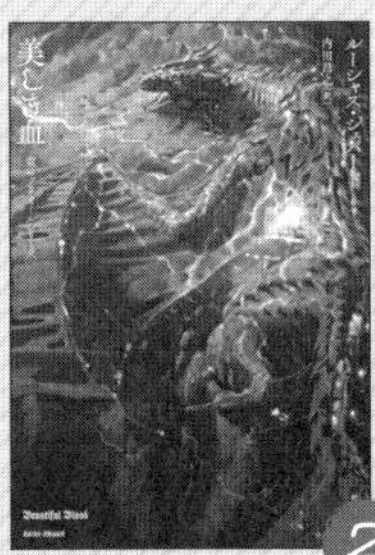

2

3

図書館とは、私たち人類が共有する無意識的な物語の源泉か。華麗で繊細な物語論だ。

　アナ・ジェームス**《ページズ書店の仲間たち》**は、本のなかに入り込める魔法に目覚めた十一歳の少女を主人公にした児童向けビブリオファンタジイ。『赤毛のアン』『不思議の国のアリス』などの名場面を体験し、登場人物と友情を結び、時として物語世界に介入する。本好きには確実に刺さる。

　そのほか海外では、久々に復刊され、同時期に続篇も刊行されたメタ・ファンタジイの傑作、ピーター・S・ビーグル『最後のユニコーン』もファンを喜ばせた。詩的な比喩とファンタジイの物語性に対する寓意が編み上げられた、優美なカゴのようだ。

　続いて国内の五冊に移ろう。多崎礼**《レーエンデ国物語》**は、「呪われた土地」として忌まれる山間のレーエンデ地方で、この土地を独立へ導く人々の苦闘を年代を追って重厚に語る。満月の夜、湖上に銀の霧が湧き異形の魚が泳ぐ、そんな幻想的な風景にも引き込まれる。全五部構成が予告されているが、作者の十八番である世界のコペルニクス的転回が本作でも起こるのだろうか。

　乾石智子**『神々の宴』**は《オーリエラントの魔道師》の短篇集。コンスル帝国のさまざまな時代を舞台に、人々の欲望と澱を見極め、己の役割を果たす魔道師たちの矜持を切り取る。これまであまり語られてこなかった神々と魔道師の関わりについても触れられ、オーリエラント世界はますます深まった。

　武石勝義**『神獣夢望伝』**は、「日本ファンタジーノベル大賞２０２３」を受賞した群像劇。この世は微睡む神獣が見る夢に過ぎず、神獣が目覚めれば世界は消える……。辺境の村から出てきた若者たちの青春模様は、やがて壮絶な政争へと変容する。儚さが胸に染み、無常観が満ちる。

　高丘哲次**『最果ての泥徒《ゴーレム》』**は、泥徒産業が勃興する二十世紀初頭、ひとりの少女と、その少女が創造した泥徒がたどる数奇な運命を冷徹に見つめる改変歴史ファンタジイ。戦場に投入される泥徒を通して、人の弱さと強さが露わになる。読み味は硬質。物語の果てに主従がたどり着く境地は鮮烈。

　白鷺あおい**『赤ずきんの森の少女たち』**は、十九世紀末の女子寄宿学校を中心とした歴史ファンタジイ。溌剌とした冒険のなかに、童話「赤ずきん」の原点となった古代ゲルマン信仰が織り込まれ、さらに二〇世紀史の悲劇をもすくい取る。伏線回収も巧い。

　そのほかに、ヒットシリーズ《後宮の烏》と世界観を共有する婚姻譚の連作集・白川紺子『海神《わだつみ》の娘』、日本神話と薬師ものを融合させた和風ファンタジイ・喜崎冬子『天の雫　鳳の木』、自己犠牲と自分探しを真摯に追求する異世界転移もの・佐藤さくら『波の鼓動と風の歌』も強く印象に残った。

うづき・あゆ●書評家、ゲームコラムニスト。〈ＳＦマガジン〉〈日刊ＳＰＡ！〉等で書評・ゲームコラムを連載中。

国内&海外ホラー

〈怪談〉の作法を取り入れながら、虚構《ホラー》として昇華する国内作品
王道から怪作まで、モダンホラー復活の海外作品

笹川吉晴 Sasagawa Yoshiharu

- ●『近畿地方のある場所について』背筋
- ●『最恐の幽霊屋敷』大島清昭
- ●『踏切の幽霊』高野和明
- ●『一休どくろ譚・異聞』朝松健
- ●『甲府物語』飯野文彦
- ●『モンスター・パニック！』マックス・ブルックス
- ●『シャーロック・ホームズとミスカトニックの怪』ジェイムズ・ラヴグローヴ
- ●『ブッカケ・ゾンビ』ジョー・ネッター
- ●『異能機関』スティーヴン・キング
- ●『寝煙草の危険』マリアーナ・エンリケス

二〇二三年度の国産ホラーは〈怪談〉の作法を取り入れながら、さらに虚構《ホラー》として昇華する作品が目立った。

web発の背筋『**近畿地方のある場所について**』や梨『6』は取材記事や読者投稿、掲示板のログや動画配信記録から手製のお札まで雑多なテキストや図像が連関して、怪異の輪郭を形作っていくという怪談ルポルタージュの体裁《パスティシュ》だが、小説ならではの真相《ヴィジョン》が用意されている。大島清昭『**最恐の幽霊屋敷**』はさまざまな形態《パターン》の怪異譚を一軒の家に集約し、幽霊屋敷を構築していく手法が作品の構造《プロット》そのものや、ひいては心霊スポット発生のメカニズムとも重なり合うのが怪談研究者ならでは。呪術殺人が警察署を脅かす『地羊鬼の孤独』と共に、ホラーであればこそ成り立つ怪異と不可分のミステリ趣向も秀逸だ。

踏切に発生する心霊現象の背後に奇妙な殺人事件の闇が浮かび上がる高野和明『**踏切の幽霊**』と、渋谷駅再開発の地下に怪事が頻発する沖方丁『骨灰』は日常的《ミニマム》な実話怪談のディテールを持ちながら、前者はその不気味さを社会派推理に重ね合わせ、後者は怪異への対処を大がかりな伝奇へと昇華する。両者に共通するのは、巨大都市〈東京〉に飲み込まれてきた人々＝死者へと想いを致す視線だ。

短篇集では、朝松健のライフワークである一休宗純もの『**一休どくろ譚・異聞**』は怪異のバラエティとストーリーテリングの妙、そこに描き出される人間への冷たくも優しい眼差しが円熟の境地に達している。内田百閒の身辺に漱石や芥川はじめ死者たちの影《ドッペルゲンガー》が出没する三上延『百鬼園事件帖』は、百閒の作品世界をホラーによって解釈・再構築。

また、オンデマンド出版の形態だが特筆しておきたいのが飯野文彦『**甲府物語**』。異能の作家が故郷の地に根ざした、しかし徹底して個的な幻想を紡いだ私小説《ホラー》の精華集だ。

一方海外作品は、王道からB級テイスト漂うマニアックな怪作まで、モダンホラー復活を期待させる作品が並んだ。

マックス・ブルックス『**モンスター・パニック！**』は火山の噴火で棲処を追われた人喰いビッグフットの群れが、孤立した小コミュニティを襲う。ノンフィクションの体裁で人間対野獣――ではなく、人間もまた野獣と化

笹川吉晴氏が選んだ!

2023年度

国内&海外ホラー作品ベスト3

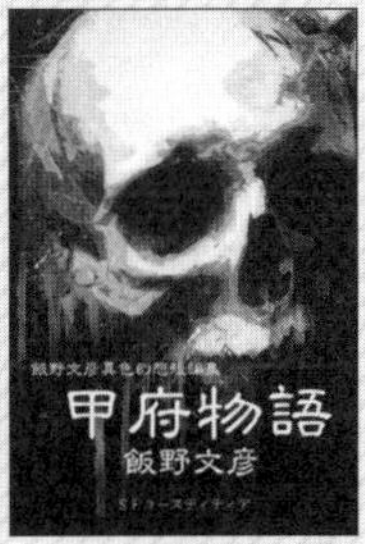

してのの狩り合いをハードに描いたモンスター版『わらの犬』だ。バルト海クルーズの大型客船が吸血鬼の眷属で溢れかえるマッツ・ストランベリ『ブラッド・クルーズ』は、キャラクターを一人ひとり丁寧に描き込んだドラマ部分が巧いホラー版『ポセイドン・アドベンチャー』。人喰い少女の孤独な遍歴が〝怪物〟の遍在を浮き彫りにするカミーユ・デアンジェリス『ボーンズ・アンド・オール』や、日常に暮らす〝怪物〟の精神世界を悲痛に描いたカトリオナ・ウォード『ニードレス通りの果ての家』は真摯な心理的怪物譚である。

ジェイムズ・ラヴグローヴ『**シャーロック・ホームズとミスカトニックの怪**』は篇中に怪物《ショゴス》を求めて川を遡るラヴクラフト的な探検記が入れ子となって、タッチから作品の構造までホームズ+クトゥルーの融合度がますます強まった。マット・ラフ『ラヴクラフト・カントリー』は五〇年代アメリカを舞台に、白人秘密結社の魔術に黒人が脅かされる、黒人差別史のホラーによるデフォルメである。

素人男優がAV撮影現場でゾンビの群れに襲われるジョー・ネッター『**ブッカケ・ゾンビ**』は顔射《ブッカケ》AVとゾンビものという、底辺が果てしなく広がる二つの映像《ビデオ》ジャンルを融合しながら、映像化不可能な幻想《ヴィジョン》を突きつけてくる。性《エロス》＝生と死《タナトス》を究極まで煮詰めたようなイカモノだが、心の奥底に秘めた欲望が日常を崩壊させるさまを直喩で描いて、その絶望感は思いのほか深い。殺人鬼《スラッシャー》映画が事実を基にしているというグレイディ・ヘンドリクス『ファイナルガール・サポート・グループ』はトラウマに悩まされながら自身の壮絶な体験をエンターテインメントとして切り売りされている生き残りの少女《ファイナルガール》たちの姿を通して女性への暴力の連鎖、虚構の中——ひいては現実に蔓延する〈死〉の消費を描き出す。

王道ではスティーヴン・キング『**異能機関**』が超能力を持った少年少女を狩り集め、非人道的な実験で使い潰す秘密機関の恐怖と、小さきものたちの必死の抵抗を描いてデビュー五十周年の蓄積をいかんなく発揮。〝中国のキング〟と言われる蔡駿の『幽霊ホテルからの手紙』は東シナ海沿岸に英国ゴシック風の舞台を設え、古典楽劇にまつわる怪異因縁譚をミステリ&メタ趣向で展開する異色作。

短篇集ではマリアーナ・エンリケス『**寝煙草の危険**』が個の抱く疎外感や不安と、アルゼンチン社会の孕む問題とが怪異に結晶するスパニッシュ・ホラーの秀作。カレン・ラッセル『オレンジ色の世界』は多様な時代・場所を舞台に、B級ホラー・ガジェットを心理描写によって捻りの利いた、奇妙でもの悲しい物語に仕立ててみせる。エレン・ダトロウ編によるシャーリイ・ジャクスン・トリビュートのアンソロジー『穏やかな死者たち』は、現代の幻想作家たちが作品のパスティシュではなく、エッセンスを抽出しようと試みる。

ささがわ・よしはる●69年生れ。文芸評論家。

国内&海外ミステリ

人を人とも思わぬトリックが炸裂する特殊設定ミステリの秀作

千街晶之 Sengai Akiyuki

❶『エレファントヘッド』 白井智之
❷『世界の終わりのためのミステリ』 逸木裕
❸『そして、よみがえる世界。』 西式豊
❹『令和その他のレイワにおける健全な反逆に関する架空六法』 新川帆立
❺『殲滅特区の静寂　警察庁怪獣捜査官』 大倉崇裕
❻『人類の知らない言葉』 エディ・ロブソン
❼『忘却の河』 蔡駿
❽『人生は小説《ロマン》』 ギヨーム・ミュッソ
❾『でぃすぺる』 今村昌弘
❿『涜神館《とくしんかん》殺人事件』 手代木正太郎

〈SFマガジン〉二月号が「ミステリとSFの交差点」という特集を組んだばかりではあるが、この一年を振り返った限りでは、昨年のこのコーナーでベストに推したフランシス・ハーディング『ガラスの顔』や佐藤究『爆発物処理班の遭遇したスピン』に比肩するほどの収穫は乏しかったと感じる。今回のベスト投票の結果を見ても、ミステリに分類し得るような作品は例年より少なめだ。

その理由として、所謂《いわゆる》「特殊設定ミステリ」の流行が、二〇二三年にはやや落ちついたことが大きいのではないか。どちらかといえば、風変わりな状況ではあるが超常的な設定ではない「特殊状況ミステリ」のほうに意欲作が多かったと感じる。そんな中、特殊設定ミステリの秀作と言えるのが①。前年の『名探偵のいけにえ　人民教会殺人事件』が特殊状況ミステリだったのに対し、こちらは異常極まる状況だからこそ成立する多重解決と人を人とも思わぬトリックが炸裂する、白井智之以外の作家には絶対書けない作品だ。

②は、人類が滅亡し、生前の人間の意識を移植されたヒューマノイドたちだけが生き残った世界を舞台にしたポスト・アポカリプス・ミステリ。非日常世界を背景としつつ「日常の謎」に近い作風の連作である。

第十二回アガサ・クリスティー賞を受賞した③は、介助用ロボットや仮想空間でのアバターの直接操作によって困難な手術が可能となった近未来が舞台のSF本格ミステリだ。少女に視覚再建装置を埋め込む手術を依頼された身障者の医師が、手術の裏にある秘密と怪死事件の謎に挑む。

新川帆立が新境地を開拓したと言えるのが④である。令和ならぬ「礼和」「麗和」などの架空の元号が使用されている六つのパラレルワールドを舞台に、奇妙な法律が罷り通っている架空の社会を描きつつ、それが現実の私たちが暮らす「令和」社会への諷刺にもなっている連作だ。

⑤は、巨大生物「怪獣」の脅威に晒され続けているパラレルワールド日本で、怪獣出現のどさくさに紛れて人間が起こした犯罪に、「怪獣捜査官」と呼ばれる刑事と、怪獣省予報班班長のコンビが挑む連作。怪獣パニック小説と本格ミステリの合体というユニークな

千街晶之氏が選んだ!

2023年度

国内＆海外ミステリ作品ベスト3

着想は大倉崇裕ならではと言える。なお、大倉作品では『一日署長』も要注目だ。

海外作品で、昨年度珍しくSFミステリらしいSFミステリだったのが⑥である。テレパシーで意思を伝達する異星人の通訳を務めていた主人公は、記憶を失っているあいだに異星人を何者かに殺害され、無実を証明するため自ら捜査を始める。異星人の霊とのバディ関係という異色設定が印象的だ。

華文ミステリ作家・蔡駿の小説は二作邦訳されたが、ゴシック・ホラーの『幽霊ホテルからの手紙』に対し、⑦はよりミステリ度が高い。何者かに殺害された教師が、前世の記憶をとどめたまま天才少年に転生し、自分が死んだ事件の真相に迫ろうとするが……。普通なら終盤まで生き残りそうな人物がどんどん退場してゆく大胆な展開に驚かされる。

ギヨーム・ミュッソといえばフランスを代表するベストセラー作家であり、日本でも技巧派ミステリ作家として認識されているけれども、⑧のような小説を発表するとは誰も予想していなかったのではないか。ここで紹介する理由の説明が難しい作品なので、とにかく一読して奇想に驚嘆してほしい。

ホラー・ミステリ方面では⑨と⑩に注目したい。小学生トリオが町に伝わる七不思議を調査する前者は、著者が『屍人荘の殺人』などの特殊設定ミステリで知られる今村昌弘だからこそ、本格ミステリと超自然ホラーのどちらに着地するか予想できないというスリリングな読書体験を味わえる。一方、イカサマ霊媒師と心霊鑑定士が呪われた館で連続する惨劇の謎を解こうとする後者は、オカルト趣味・怪奇趣味がこれでもかと言わんばかりに溢れた怪作である。

その他では、クローズドサークル状態の宇宙ホテルでの不可能犯罪を描いた桃野雑派『星くずの殺人』、明治維新が起きなかったパラレルワールドで陰陽師にしか不可能な密室殺人が起こる小森収『明智卿死体検分』、コンゴを訪れた類人猿の生態調査隊が謎の生物に襲撃される美原さつき『禁断領域　イックンジュッキの棲む森』、人間の言葉を理解するゴリラが夫を殺され裁判で闘う須藤古都離『ゴリラ裁判の日』、タイムトラベルによって満州事変の阻止を図る佐々木譲『時を追う者』、特異なウイルスが連続殺人に絡む市川憂人『ヴァンプドッグは叫ばない』、捜査小説とサイコ・サスペンスとホラーを融合させた阿泉来堂『バベルの古書　猟奇犯罪プロファイル』二部作、環境保護が人命の重みに勝るようになった未来が舞台の斉藤詠一『環境省武装機動隊ＥＤＲＡ』、冷戦時代にソ連からアメリカに帰還した仮面の男の正体をめぐるアルジス・バドリスのスリラー『誰？』、〝信頼できない語り手〟しか登場しないカトリオナ・ウォードの異色作『ニードレス通りの果ての家』などが要注目だ。

せんがい・あきゆき●70年生れ。ミステリ評論家。著書に『ミステリ映像の最前線　原作と映像の交叉光線』（書肆侃侃房）など。

ベスト10 サブジャンル別 &総括

海外文学

パムクとビネ、甲乙つけがたい歴史改変小説の傑作がそろい踏み

牧 眞司 Maki Shinji

❶『ペストの夜』(上・下) オルハン・パムク [トルコ]
❷『文明交錯』 ローラン・ビネ [仏] ＊
❸『逃げ道』 ナオミ・イシグロ [英]
❹『時間への王手《チエツク》』 マルセル・ティリー [ベルギー] ＊
❺『寝煙草の危険』 マリアーナ・エンリケス [アルゼンチン] ＊
❻『最後の三角形 ジェフリー・フォード短篇傑作選』 ジェフリー・フォード [米] ＊
❼『恋の霊 ある気質の描写』 トマス・ハーディ [英]
❽『息 一つの決断』 トーマス・ベルンハルト [オーストリア]
❾『遠きにありて、ウルは遅れるだろう』 ペ・スア [韓]
❿『昼と夜 絶対の愛』 アルフレッド・ジャリ [仏]

[ ] 内は作者・編者の国籍 (もしくは居住地)
＊は、とくに奇想・幻想の要素が多い作品。

意図したわけではないが、①の『**ペストの夜**』は別格にして、②〜⑥まではSF読者のアンテナに当然かかってきそうな作品があがり、⑦〜⑩は知る人ぞ知る(誤解を恐れずに言えば「文学的にマニアックな」)作品が並ぶことになった。

①と②はともに歴史改変小説である。『**文明交錯**』のほうは「ベストSF2023」投票でも四位にランクインした。インカ帝国由来の勢力がヨーロッパを征服する展開で、ベストセラー『HHhH――プラハ、1942年』の作者ローラン・ビネらしい該博な知識とパロディ精神が横溢し、文芸技巧も際立った絢爛豪華な絵巻である。それに較べると、『ペストの夜』はかなり地味だ。歴史改変の部分もビネ作品のようにヨーロッパ史をまるまる裏返しする大仕掛けではなく、二十世紀初頭のオスマン帝国の一地方に架空の島を設定し、そこでのペスト禍を起点として、政治・民族・宗教・家族の葛藤、そしてヨーロッパとの関係が複雑なドミノ倒しのように動くさまを描きだす。パムクも知識と技巧に優れた作家だが、それを作品の前面に押しだすような書きかたをしない。ミステリ的な要素もあるが、物語全体のなかでは隠し味だ。ユーモアの質も陽気で躁的なビネとは異なり、こっそりと頬の内側に含む調子だ。

私の好みとして『ペストの夜』を①にしたが、設定が派手で物語がダイナミックな『文明交錯』に軍配をあげるむきもあるだろう。

③『**逃げ道**』は俊英のデビュー作品集。ナオミ・イシグロは、ノーベル賞作家カズオ・イシグロ(ディストピア小説『わたしを離さないで』でSF読者にもお馴染みだろう)の娘だが、そうした話題性と切り離して評価されるべき才能である。『逃げ道』には、王宮に呼ばれたネズミ駆除職人がそこはかとなく不吉で不条理な状況に巻きこまれていく寓話「ネズミ捕り」、宇宙飛行士に憧れる少年ジェイミーが大学院生マイルズの残した不思議な課題に取り組む「毛刈りの季節」、アイデア的にはH・G・ウエルズ「新加速剤」につらなるが展開はケリー・リンクを思わせる「加速せよ!」など、七篇を収録。

④『**時間への王手《チエツク》**』は、ベルギーの詩人が第二次大戦前に書きあげ、戦後に出版された

牧 眞司氏が選んだ！

2023年度

海外文学作品ベスト3

1

2

3

タイムトラベル小説。現代に暮らす主人公たちは、歴史の重要な転換点だった〈ワーテルローの戦い〉に干渉しようとする。時間の扱いが機械的ではなく哲学的なところ、主要登場人物同士の齟齬にベルギーの入り組んだ歴史・地理・言語がかかわってくるところなど、ジャンルSFと違った味わいがある。

⑤**『寝煙草の危険』**は、「アルゼンチンのホラー・プリンセス」との異名をとる現代作家の短篇集。半分腐りかけていて、何もしゃべらず、とくに害をなすわけではないが、語り手が行くところにつねについてくる赤ん坊の幽霊の物語「ちっちゃな天使を掘り返す」。鬼気迫るゴーストストーリー「展望塔」。異常心理小説「どこにあるの、心臓」。ロックスターの屍肉を貪る少女たちの偏愛を描く「肉」。日常を覆う不安や人間の内奥にわだかまった衝動が噴きこぼれる十二篇。

⑥**『最後の三角形　ジェフリー・フォード短篇傑作選』**は、「ベストSF2023」投票では二位と高く評価された。数々の文学賞を受賞している現代アメリカ異色作家の、『言葉人形』につづく日本オリジナル編集による二冊目の短篇集だ。共感覚を題材とした奇妙なボーイ・ミーツ・ガール小説「アイスクリーム帝国」。僻村の奇妙な風習を描く「ナイト・ウィスキー」。地球の映画が大好きな昆虫型宇宙人が棲む惑星を舞台にしたユーモアSF「エクソスケルトン・タウン」。収録された十四篇はバラエティ豊かだが、一筋縄ではいかない点は共通する。

⑦**『恋の霊　ある気質の描写』**は、『テス』で知られる文豪ハーディの後期長篇。イングランド南西部の半島を舞台に、彫刻家ピアストンが青年期から老年に至るまで時代を超え、愛する女性のイメージに翻弄される。「恋の霊」が人から人へと移動しているという思想が、幻想めいた浪漫性を支えている。

⑧**『息　一つの決断』**は、壮絶な入院体験を描く。自伝的小説だが、閉鎖環境のなかでの意味不明な治療や非人間的な病院のシステムは、ときとしてディーノ・ブッツァーティの不条理に近づく。

⑨**『遠きにありて、ウルは遅れるだろう』**は、韓国現代作家の初邦訳となる作品。記憶を失った語り手が、自己の手がかりを求めて彷徨する。全体像が曖昧なまま部分の印象だけ鮮明で、いくつかのイメージの変奏される構成は、ヌーヴェルヴァーグ映画のようだ。

⑩**『昼と夜　絶対の愛』**の作者ジャリは、ポストヒューマンSFの先駆け『超男性』や、短篇集『馬的思考』などでSF読者にもお馴染みだろう。本書は二篇をカップリングで翻訳したもの。「昼と夜」は、兵役の束縛を嫌う自由人サングルの浮き世離れした空想癖が奇妙なユーモアを醸しだす。「絶対の愛」は、養母を催眠術にかけて理想の女性を抽出する主人公の、インモラルな神話。

まき・しんじ●59年生れ。ＳＦ研究家。著書に『『けいおん！』の奇跡、山田尚子監督の世界』『JUST IN SF』『世界文学ワンダーランド』ほか、編著に《R・A・ラファティ・ベスト・コレクション》ほか。

ベスト10 サブジャンル別 & 総括

文芸ノンフィクション

SF思考を広めようとの意欲に満ちた、新しいタイプのSF入門書

長山靖生 Nagayama Yasuo

❶『SF超入門 「これから何が起こるのか」を知るための教養』 冬木糸一
❷『闇の精神史』 木澤佐登志
❸『SFのSは、ステキのS＋』 池澤春菜
❹『現代SF小説ガイドブック 可能性の文学』 池澤春菜＝監修
❺『サイエンス・フィクション大全 映画、文学、芸術で描かれたSFの世界』 グリン・モーガン＝編
❻『犬笑楼vs.偽伯爵』 筒井康隆、蓮實重彦
❼『SFの気恥ずかしさ』 トマス・M・ディッシュ
❽『壊れゆく世界の哲学 フィリップ・K・ディック論』 ダヴィッド・ラプジャード
❾『私と言葉たち』 アーシュラ・K・ル＝グウィン
❿『文学は地球を想像する エコクリティシズムの挑戦』 結城正美

昨年は生成AIやメタバースが大きな話題となったが、今年は日常生活への浸透がさらに進むだろう。①はそのような現実を踏まえて、これまでSFに格別の興味を持たなかった層にも、日常的な思考常識としてのSF思考を広めようとの意欲に満ちた、新しいタイプのSF入門書だ。SF作品についても社会的な広がりにおいても、均衡の取れた著者の姿勢とリーダビリティの高い文体とにより、その目的は十分に果たされている。

一方、②はロシア宇宙主義、アフロフューチャリズム、サイバースペースとメタバースなど、神秘思想とSF、さらには科学技術の最先端から社会経済思想にまで跨《またが》るいくつかのユートピア思想の流れを追いながら、そうしたラディカルな理想主義が必然的に抱え込んでしまう排他性などの暗黒面について、時に哀惜を込めつつ分析した好著。新書ながら読み応えのある一冊だ。

②もそうだが③もまた〈SFマガジン〉での連載をまとめた本で、SFをめぐる様々な楽しさがぎっしり詰まっている。本書全篇を貫いているのはテンション高めの語り口とサービス精神、そして怜悧な観察眼と分析力だ。平たく言えば愛するジャンルへの没入と広い視野とのバランスを常に忘れない理想のオタク。cocoさんの漫画や法人化以降の歴代会長座談会、そして小説も。座談会は「きっと未来は明るいと思います」と結ばれているが、独裁政権下でSFを含む文学が衰退したチリについて「人には空想が、未来が、夢が必要なのだ」と語られたのを思い合わせる時、その言葉の重みをしっかりと噛みしめる必要があるだろう。④はその池澤春菜監修による現代SF小説のガイドブック（タイトルそのもの）。①と併読するとSFの広がりと深みがいっそう立体的に感じられるだろう。

⑤はロンドンの科学博物館で二〇二二年に開催された「サイエンス・フィクション展」の図録を基にした本で、内容は展示に従い、「人間と機械」「宇宙の旅」「コミュニケーションと言語」「エイリアンと疎外感」「不安と希望」の五部構成となっている。宇宙やロボット、エイリアン、コンピュータ、仮想現実、タイムリープ、核戦争、超自然など多

2023年度

長山靖生氏が選んだ!

文芸ノンフィクション作品ベスト3

1

2

3

様なテーマが、文学、映画、美術といった表現の諸ジャンルと、自然科学の発展史の両面から紹介されている。各章に陳楸帆、チャーリー・ジェーン・アンダース、ヴァンダナ・シン、デイド・ディプソン、キム・スタンリー・ロビンスンのインタビューがあるのも嬉しい。日本では文化施設予算は削減傾向にあり、東京国立科学博物館も予算不足に苦しみ、クラウドファンディングを募るなどしているが、ぜひこういう企画をやっていただきたい。

ともに昭和十年前後に生まれた筒井康隆と蓮實重彦は、どちらも約半世紀にわたって人気の知的トリックスターとして読者の支持を集めてきた。今はさらに円熟味を増し、文学界の重鎮というだけでなく、社会的影響力も大きい二人だが、知識人という枠に収まらない、文化的不良の香りは益々濃厚だ。⑥はそんな二人が、文学に映画、音楽、演劇、多少の悪事悪癖を語り合い、相互批評した往復書簡。刺激的で、時にハラハラさせられる。互いに認め合っている剣豪同士が、間合いを取りながら歓談している風情もあり、隙あらば打ち込みかねない気迫も見え隠れする。

⑦は『歌の翼に』や『アジアの岸辺』などで知られるディッシュのSF評論集。書評やエッセイ、序文などを集成したもので多くのSF作品が取り上げられているが、なかでもディックへの深い信愛が窺える『偶然世界』序文は出色。そのディックを、ドゥルーズ研究などで知られるフランスの哲学者が論じた⑧は、『アンドロイドは電気羊の夢を見るか?』にデカルトの動物機械論の影響を読み解くなど、ディック作品を西洋思想史の中に位置づける試みでもある。単に自身の思想を展開する資料としてディックを使用するのではなく、意外性はあるものの実証的な読みを重ねた、ラディカルにして篤実な論考だ。

思想性豊かなSF作家ル＝グウィンの⑨も興味深い指摘が溢れている。この本も⑦同様、ディックやレム、ストルガツキー兄弟など多くの作家・作品を取り上げているが、なかでも重厚なサラマーゴ論が興味深い。

科学技術、産業発展に伴う負の面として環境問題は頭の痛いところだが、文学研究では以前から文学と自然環境の関係を研究するエコクリティシズムという手法があり、古くは作家の出自である民族文化や地域環境と作品の関係などを論じていたが、近年では汚染や地球環境問題などを意識した議論が盛んになっている。⑩は、ソロー、石牟礼道子、梨木香歩、アレクシェーヴィチ、カズオ・イシグロらの作品を通して、「環境」をめぐるエコクリティシズムの優れた実践的入門書だ。本書では彼らの作品に描かれた人間の中の野性、都市と自然、惑星を隅々まで学習するAIなどを通して、環境と人間の問題が追究され、その視野はポストヒューマンにも及ぶ。

ながやま・やすお●62年生れ。評論家。近著に『萩尾望都がいる』（光文社新書）、編著に『処方秘箋 泉鏡花 幻妖美譚傑作集』（小鳥遊書房）他。

ベスト10
サブジャンル別
& 総括

科学ノンフィクション

著しい進展速度を見せる生成AIが大いに話題になった一年

森山和道 Moriyama Kazumichi

- 『ChatGPTの先に待っている世界』 川村秀憲
- 『大規模言語モデルは新たな知能か　ChatGPTが変えた世界』 岡野原大輔
- 『AI 2041　人工知能が変える20年後の未来』 カイフー・リー、チェン・チウファン
- 『なぜ世界はそう見えるのか　主観と知覚の科学』 デニス・プロフィット、ドレイク・ベアー
- 『からだの錯覚　脳と感覚が作り出す不思議な世界』 小鷹研理
- 『相分離生物学の冒険　分子の「あいだ」に生命は宿る』 白木賢太郎
- 『「老いない」動物がヒトの未来を変える』 スティーヴン・N・オースタッド
- 『動物たちが夢を見るとき　動物意識の秘められた世界』 デイヴィッド・ピーニャ・グズマン
- 『まちがえる脳』 櫻井芳雄
- 『遺伝と平等　人生の成り行きは変えられる』 キャスリン・ペイジ・ハーデン
- 『100兆円で何ができる?』 ローワン・フーパー

二〇二三年は生成AIが大いに話題になった年だった。進展速度は著しく、今も週単位で新たな機能が生み出されており、月単位では風景自体が変わる速度で変化している。

人によって評価は分かれるものの、少し前の常識が通じない予測不能の時代に既に突入しているという見方もある。専門家ほどその意識は強いと『**ChatGPTの先に待っている世界**』は語り、『**大規模言語モデルは新たな知能か**』は言語を通して世界を理解しているようにも見える「大規模言語モデル」の世界を紹介して、これまでの機械学習技術の壁を突破し、人と機械の仲立ちとなり得る可能性を紹介する。そして『**AI 2041　人工知能が変える20年後の未来**』は十の短篇SFと解説から来るべきAI技術との共生を考える。

未来がわからない時代に生きていることは幸いだ。実のところ、我々個々人がどこまで自分たちの人生をハンドリングできているのかは見方次第で異なるが、それでも、歩き方を選ぶのは自分自身のはずだと思いたい。

AIと人は同じ世界を経験できるのだろうか。そもそも我々人間も同じ世界を共有しているわけではないと『**なぜ世界はそう見えるのか**』はいう。人間の心的経験は身体を通じた環境との相互作用によって変化するし、知覚は人によって異なる。坂の傾斜や箱の重さのようなごくごく身近なレベルから、主観的経験は実際に違っていることが知られている。

身体は知覚と行為、知覚と認知を結びつけて知覚世界を作り上げている。『**からだの錯覚**』は自分自身の身体イメージでさえ、たやすく変形し、硬さすら変わり得ることを身近な実験を通して紹介する。見たことも経験したこともないかたちの体でさえ「自分の身体」として受け入れてしまうのだ。主観的身体は外界に投射され、簡単に伸び縮みするものであるらしい。

主観的経験とはなんだろうか。『**動物たちが夢を見るとき**』は動物の意識と人間の意識の連続性に着目し、動物は夢を見るのかと問う。夢とはすなわち、睡眠中の主観的経験だ。本書は電気生理学的手法による動物の睡眠研究の話に留まらず、意識やイメージ生成による想像力の問題へと踏み込み、さらに道

森山和道氏が選んだ!

2023年度 科学ノンフィクション作品 ベスト3

徳の観点からも論じていく。動物が何らかの意識を持っているのであれば道徳的地位を持つと著者は主張する。

そもそも脳の仕組みが基本的な部分からわかっていない可能性も高い。確率的なしくみが支える脳のメタ制御性を紹介する**『まちがえる脳』**では、樹状突起上の逆方向伝搬やグリア細胞の働き、物理的な表面波伝搬説、細胞外スペースを介した信号伝達など、最近になって重視されるようになった仕組みも紹介される。著者がいうように、従来の教科書的な神経回路モデルは本質を欠いていて、実はまだ基礎的メカニズムすら示し得ていないかもしれないのだ。

ごく基本的なことがわかっていないのは、生命、細胞の仕組み自体も同様だ。**『相分離生物学の冒険』**は部品としての分子だけではなく、分子と分子とを繋ぐ相互作用、絶えず変化する分子集合体を生命理解の単位として捉える相分離生物学を紹介する。水に溶けた状態の分子間相互作用という目で細胞、生命のあり方を見ることで、新たな風景が見えてくる。実利的な応用も既に始まっている。

抗老化に関する本も相変わらず定期的に刊行されている。**『「老いない」動物がヒトの未来を変える』**は長寿の動物に注目する。驚くべきことに一部の動物は老化知らずで、ずっと若々しく生殖年齢にあり、パタっと死ぬ。低代謝の動物が長生きするのは当然だと思うだろうが、空を飛ぶ鳥は大量のエネルギーを取り、高体温、高血糖にもかかわらず長寿だ。一部の動物の長寿の秘密を解明できれば、人間にも応用できそうである。

寿命が伸びると人の考え方も変わる。いまとは違う社会のありようも実現できるはずだ。**『遺伝と平等』**は人の遺伝的多様性も社会格差と同様、学歴や収入、人生に影響していることを紹介し、今の教育制度は本当に公平なのか、遺伝的差異を無視することは社会的不平等に繋がっていないかと問いかける。遺伝子が運命を決定するわけではない。だが遺伝子と教育の関係を無視して介入しないのも公平ではないと述べている。

どんな社会を作るべきなのか。**『100兆円で何ができる?』**は十の思考実験で百兆円あったら何に投資するか考える。貧困を一掃するために多くの人に教育を与え、あらゆる病気を直し、地球外に植民し、地球環境をコントロールする。さらには宇宙人発見や新しい加速器を建設したりするのに必要な金額はどのくらいか。本書によれば、意外とかからない。百兆円どころか、それぞれの課題は数十兆円でも実現できるかもしれない。つまり、世界にはただちに解決すべきだし、解決可能な問題がいっぱいあるというのが本書の主張だ。本当の問題はコストではなく意思決定にあるのだ。未来は常に我々自身の意思決定に委ねられている。

もりやま・かずみち●70年生れ。ライター。出版もそろそろ大変革してほしいなと思う今日この頃です。

ベスト10 サブジャンル別＆総括

SFコミック

ロボットやAIをモチーフとして人類との関係性を探る作品が目立った

福井健太 Fukui Kenta

●『孤食ロボット』 岩岡ヒサエ
（全9巻／集英社ヤングジャンプコミックス）
●『GLITCH』 シマ・シンヤ
（全4巻／KADOKAWAビームコミックス）
●『ウスズミの果て』 岩宗治生
（①②巻／KADOKAWAハルタコミックス）
●『エリオと電気人形』 島崎無印＋黒イ森
（①巻／集英社ヤングジャンプコミックス）
●『国産少女クラリス』 yoruhashi
（①②巻／講談社シリウスKC）
●『ナッちゃんはテンションで水深が変わる』 中原ふみ
（KADOKAWAハルタコミックス）
●『人類圏』 八木ナガハル
（KADOKAWAハルタコミックス）
●『透明人間そとに出る』 （駒草踏販行
（KADOKAWAハルタコミックス）
●『地球外少年少女』 磯光雄＋谷垣岳
（①②巻／集英社ヤングジャンプコミックス）
●『ぼっち博士とロボット少女の絶望的ユートピア　新装版』 山田鐘人
（上下巻／小学館少年サンデーコミックス）

無作為にタイトルを挙げた結果、ロボットやAIと人類の関係（友人か敵か）にまつわる話が半数を占めた。社会の関心がコミックに反映されているのかもしれない。

超高空の住人を描く『土星マンション』で二〇一一年に第十五回文化庁メディア芸術祭マンガ部門大賞に輝いた岩岡ヒサエは、ファンタジーのセンスでSFのアイテムを扱うことに長けた漫画家だ。全九巻で完結した『**孤食ロボット**』は、食品メーカーの景品ロボットが〝ご主人さま〟と対話し、食事や生活を見守っていくオムニバス。愛すべき単身者とロボットたちのドラマには、純真なドワーフとの交流譚めいた趣があり、時折挟まれる料理の知識やレシピも洒脱なアクセントになり得ている。リアルな世界に不思議な存在を溶け込ませ、独自の世界を築いたファンタジックSFの傑作である。

シマ・シンヤは漫画家兼イラストレーター。二二年に『ロスト・ラッド・ロンドン』で第二十五回文化庁メディア芸術祭マンガ部門新人賞を受賞。『スター・ウォーズ』のスピンオフ〝*Star Wars: The High Republic: Edge of Balance*〟の原作者でもある。そんな著者の第二作『**GLITCH**』は四人の子供たちが謎を追うジュヴナイルだ。高校生のイ・ミナトは転校初日に奇怪な影を目撃し、妹とその友人たちとともに町の秘密を探っていく。バンドデシネ風のビジュアルを活かし、スマートな青春SFを紡いだ佳品といえるだろう。

岩宗治生の連載デビュー作『**ウスズミの果て**』は、瘴気を吸った人々が「体中から鉱物に似た結晶体が形成される」感染症の結晶病で大量死した半世紀後の物語。瘴気を浄化しながら生存者を探す調査員の少女・丑三小夜は、小動物クーを伴って廃墟を巡り、古の人々に想いを馳せる。人間味のあるヒロインを語り手として、主を失ったアンドロイドや利用者のいない図書館（の従業員ロボット）といった装置を効果的に使い、柔らかい雰囲気を醸す手つきが心憎い。

島崎無印＋黒イ森『**エリオと電気人形**』は、増殖したAIがインフラを奪い、人類がネットワークと電力を放棄した近未来の話。アンドロイドのアンジュは電気を生成する特異体質者の少女エリオを拾い、十年間ひっそ福井健太氏が選んだ！

2023年度

SFコミック作品 ベスト3

りと暮らしてきた。アンジュが旅に出ることを提案し、二人は素性を隠して街を渡り歩く。蒸気とガスに支えられた社会を設定し、人助けやロマンスを綴った注目作である。

ＡＩが社会基盤を乗っ取る話としては、ｙｏｒｕｈａｓｈｉ『**国産少女クラリス**』のような作例もある。国家への反逆に目覚めた少女型人工知能クラリスが惨事を引き起こし、開発者の弟が彼女を止めるべく動き出す。生に固執するＡＩ少女の暴走を描くサイバーサスペンスだが、ギャグとシリアスを織り交ぜてプロットの勢いで押し切る力技は、同じ著者のダークファンタジー『はめつのおうこく』に通じるものだ。

中原ふみ『**ナッちゃんはテンションで水深が変わる**』は、他人には見えない魚介類が周りを泳ぐ高校生・夏森ナツ子の日常譚。魚介類の種類は気分によって変わり、ナツ子はそれが見える二人の同級生との日々を謳歌する。派手な事件は起きないが、感情豊かな少女の姿が微笑ましい快作だ。

八木ナガハルの第五作品集『**人類圏**』は、ジャーナリストの鎹涼子を主役とする《無限工作社》シリーズの六話に掌篇を加えた一冊。骨太のハードＳＦを味わえる貴重なシリーズだが、初見では解りにくい部分もあり、先に旧刊（特に『時の闇の彼方に』）を読んでおくことをお勧めしたい。

子犬と融合した大学生がＯＬと暮らす『ワンコそばにいる』などで知られる路田行の初短篇集『**透明人間そとに出る**』には、多彩なシチュエーションを扱った六篇が収められている。薬で透明人間になった男が元に戻れなくなる表題作、夫婦の身体が入れ替わるトラブル話、ダイナーの常連客にまつわるロマンティックＳＦなど、いくつもの印象的なドラマを取り揃えた好著である。

ＡＲ技術が普及した近未来を背景として、小学生たちの生活を描くテレビアニメ『電脳コイル』は、〇八年に第二十九回日本ＳＦ大賞や第三十九回星雲賞メディア部門などに輝いた。その監督・脚本を手掛けた磯光雄の最新作『**地球外少年少女**』では、宇宙ステーションを訪れた三人の子供たちが〝月生まれの少年と少女〟と看護師に出逢い、彗星の衝突事故に遭遇し、ＡＩ絡みの陰謀に対峙する。谷垣岳によるコミック版には尺の都合で削られた要素も入っているので、アニメの視聴者にも新たな発見があるはずだ。

復刊も紹介しておこう。山田鐘人『**ぼっち博士とロボット少女の絶望的ユートピア　新装版**』は、隕石由来の病原体が人類の大半を滅ぼし、無口な博士と毒舌の少女型ロボットが家族として暮らす状況下のポストアポカリプスもの。感傷的な懐古エピソードとショートギャグを並べた構成は、数年後に『葬送のフリーレン』の原作を手掛ける著者の原点としても興味深い。

福井健太●72年生まれ。書評系ライター。〈ＳＦマガジン〉でコミックレビューを担当。著書に『本格ミステリ鑑賞術』『本格ミステリ漫画ゼミ』、編著に『ＳＦマンガ傑作選』などがある。

SF映画

コミック系映画低調のなか ファンサービスが行き届いたナンバーワン映画

渡辺麻紀 Watanabe Maki

❶『ザ・フラッシュ』 監督：アンディ・ムスキエティ
❷『ギレルモ・デル・トロのピノッキオ』 監督：ギレルモ・デル・トロ
❸『宇宙探索編集部』 監督：コン・ダーシャン
❹『インディ・ジョーンズ／運命のダイヤル』 監督：ジェームズ・マンゴールド
❺『ザ・クリエイター／創造者』 監督：ギャレス・エドワーズ
❻『ブラックアダム』 監督：ジャウム・コレット＝セラ
❼『クライム・オブ・ザ・フューチャー』 監督：デヴィッド・クローネンバーグ
❽『ドラキュラ／デメテル号最期の航海』 監督：アンドレ・ウーブレダル
❾『ミュータント・タートルズ：ミュータント・パニック！』 監督：ジェフ・ロウ
❿『マッド・ゴッド』 監督：フィル・ティペット

二〇二三年の映画界で世界中から支持されたのは『バービー』と『ザ・スーパーマリオブラザーズ・ムービー』だった。前者は日本ではまるで受け入れられなかったが、後者は日本でも大ヒット。二三年の興行成績でも、同じくアニメーションの『THE FIRST SLAM DUNK』に続いて二位につけている。

全米の興行成績はこの十年ほどマーベルやDCのコミック系映画がトップ10にひしめいていたが二三年は控え目。クオリティ的にも低調で、十一月に公開された『マーベルズ』の失敗をきっかけにその流行と隆盛も終わりを迎えるのではないかと言われている。

そういう流れのなかで大奮闘していたのが今回の①に置いた『**ザ・フラッシュ**』だった。光よりも速く走るDCのスーパーヒーロー、フラッシュ／バリー・アレンの活躍を描くもので、マーベルが注力しているマルチバースにDCがチャレンジした作品でもある。幼いとき母親を何者かに殺され、さらに父親を犯人にされた彼がその辛い過去を変えようと自らの能力を駆使してタイムトラベルする話だ。本作が素晴らしいのは、過去に行って両親を助けようとするバリーに対して、同じような悲劇を経験したバットマン／ブルース・ウェインが言った言葉、「心の傷があるから今の我々がある」がまるで座右の銘のような役割を果たし作品を支えているところだ。マルチバースゆえに物語も複雑に絡み合っているのだがこの言葉がすべてを繋げてくれている。ブルースによるゆでたスパゲティを使ってのマルチバースの説明も秀逸だ。

また、DC系の映画を追いかけてきたファンにはたまらない数多くのプレゼントが用意されていて、これにも胸が熱くなってしまった。その一番のプレゼントはやはりマイケル・キートンのバットマン役への復帰だろう。彼が演じていることでバットモービルもバットケイブもティム・バートン版の再現。バートンが監督した二作の『バットマン』が最高だと思っている筆者のようなファンはこれだけで感涙である。しかも、バートンファンにはまだまだサプライズが用意されていて、映画を観ていてこれほどコーフンしたのも久しぶり。最後の最後までウイットに富んだファンサービスが行き届き文句ナシのナンバーワ渡辺麻紀氏が選んだ！

2023年度 SF映画作品ベスト3

1

2

3

ン映画だった。

二番目に置いてみたのはギレルモ・デル・トロのモデルアニメーション映画『**ピノッキオ**』。ディズニーのアニメーションをはじめ、さまざまなバージョンがあるカルロ・コッローディの児童小説をファンタシイ＆モデルアニメを熱愛するデル・トロがどう描くのか？　結論から言うと、これまでの同作品とはまるで違う、斬新で驚くほど深いものになっていた。時代をファシズムが台頭するイタリアに変え、木で出来たピノッキオと、彼を作ったゼペット爺さんの辿る冒険を通じて人生の在り方を描こうとしている。もっとも心にしみたセリフは「人生に意味をもたせる唯一のものは〝はかなさ〟」という言葉だということからも判るように、本作はディズニーアニメ等では封印されていた〝死〟をみつめた哲学的な作品になっている。さすがデル・トロである。果たしてその最後、ピノッキオはどうなるのか？　それは是非とも作品を観て確かめてほしい。

やはり、良い映画にはそれを象徴するような忘れられない台詞があるということで、そんな名台詞があったのが③にした中国のSF映画『**宇宙探索編集部**』だ。タイトルは主人公が編集長を務める雑誌の名前。廃刊寸前のこの雑誌に一条の光がさす。ある村に宇宙人が現れたというのだ。編集長は仲間とともにその地に向かう。ノリとしては、オタクの福音でもある『ギャラクシー・クエスト』。そこに『ドン・キホーテ』や『西遊記』の要素を加えることで笑いに留まらない深さをプラスすることに成功しているのだが、本作を③にした理由はそのあと、主人公が珍道中から帰って来てからの十分間にある。編集長がなぜ宇宙人に執着したのか、その理由が明かされてからは何とSFの命題に肉薄しているのだ。わずか十分のなかに「宇宙はなぜ存在しているのか」「人類が存在している意味は」という命題への答えを用意してくれている。もっとも胸が熱くなったのは「もし宇宙が一篇の詩だったら」というくだり。この言葉に沿った最後の映像も素晴らしい。中国のSF映画、侮れません！

ベスト三本以外で触れておきたいのは『**インディ・ジョーンズ／運命のダイヤル**』。興業的にも評価もイマイチだったようだが、シリーズと同じ流れで年を重ねて来たインディの老齢だからこそ直面する問題を取り上げている点で高評価になった。SF的にはその問題にタイムトラベルを用いているのがミソ。映画も前半の不調を取り戻すかのようにそこから一気に加速。長年付き合ってきたファンの期待に応えてくれている。

個人的にはフィル・ティペットのモデルアニメ映画『**マッド・ゴッド**』に出会えたのも嬉しかった。ご贔屓である彼の内面に触れたような作品になっていて驚いたが。

わたなべ・まき●55年生れ。映画ライター。

SFアニメ

今の我々が直面する「AIとどう向き合うか」という問題のヒントになる作品も

小林 治 Kobayashi Osamu

1. ❶『AIの遺電子』 監督：佐藤雄三
2. ❷『機動戦士ガンダム　水星の魔女』 監督：小林寛
3. ❸『大雪海のカイナ』 監督：安藤裕章
4. ❹『モブサイコ100 Ⅲ』 総監督：立川譲、監督：蓮井隆弘
5. ❺『天国大魔境』 監督：森大貴
6. ❻『江戸前エルフ』 監督：博史池畠
7. ❼『PLUTO』 監督：河口俊夫
8. ❽『EDENS ZERO』第二期 総監督：石平信司、監督：渡部穏寛
9. ❾『REVENGER』 監督：藤森雅也
10. ❿『ツンデレ悪役令嬢リーゼロッテと実況の遠藤くんと解説の小林さん』 監督：吉村文宏

選考対象は、規定期間（二三年十月末）までに最終回を迎えた国内制作のテレビアニメ作品（配信も含む）とした。なお、続編の制作が決定している作品については対象から除外しているのでご承知いただきたい。

①『**AIの遺電子**』の舞台は、人間と同レベルの知性や感情を持つAIを搭載したヒューマノイドに人権を与え共に暮らす時代。主人公の須堂光は新医科の開業医で主にヒューマノイドを診察。人間と同レベルの知性や感情を持つだけあり、ヒューマノイドの悩みは我々とほぼ同じだが、決定的に違うのがAIへアクセスし治療できることだ。小規模の治療なら、一部の感情レベルを調整したり、記憶の一部をカットすることもできる。ただ、人間の人格形成には経験の積み重ねが大切と言われるように、ヒューマノイドでもそれは同様。故にAIのバックアップもコピーも違法。記憶の一部カット以上に、時間的欠如のあるバックアップの上書きや、コピーが複数のボディに載せられた場合、それは同じ人物（ヒューマノイド）なのかという問題が生じるからだ。ヒューマノイドを通し「人間とは何か」「AIとどう向き合うか」という問題のヒントにもなる作品だ。

②『**機動戦士ガンダム　水星の魔女**』。主人公が女性、学校に行きたい、友達を作りたい、ロボットバトルで花嫁をゲット、学園内のヒエラルキーを壊していくといった「ガンダム」としては珍しいところから始まり、徐々にガンダムとは何かが分かり、そこに関わる技術を手にしようとする大人たちの暗部が登場。新しい「ガンダム」として十分に楽しませてくれた。見逃している方は是非『前日譚「PROLOGUE」』も。

③の『**大雪海のカイナ**』は、巨大な軌道樹の上で暮らしていた少年カイナが、地表のほぼ全てを覆う雪海《ゆきうみ》から来た少女リリハを助け、軍事国家バルギアと対峙する物語。今作での面白さは世界観にある。雪海に囲まれた白銀の世界だけでなく、雪海や軌道樹とはどういうものなのか、そこで登場人物たちはどう暮らしているのか。それぞれのエピソードから見えてくる部分はもちろんだが、軌道樹から来たカイナが雪海での生活に変化をもたらすという形も心地よい。

小林 治氏が選んだ!

2023年度
SFアニメ作品ベスト3

1

2

3

④は**『モブサイコ100 Ⅲ』**。生き方に不器用で人付き合いもままならない中学生のモブが、除霊を謳う霊幻新隆の元でアルバイトを始めたことで霊能力者や超能力者と戦い友達を増やしていく物語。昔ながらのヒーロー活劇とは違い特別な力を不要と考える主人公だが、バトルシーンはかなり凄い。まさに見所はここ（他の部分はどうでもいいというわけではない）。原作にはまだ未アニメ化部分があるが、続篇の発表がないので取り上げることにした。

⑤の**『天国大魔境』**は、二つの視点から始まる作品。ひとつは、何らかの大災害から十五年が経った日本で廃墟となった街を渡り歩き「天国」を探すマルとキルコ。もうひとつは、外界と隔離され高度な設備が整った学園で生活するトキオが主人公。マルとキルコの旅はロードムービー的であり、トキオは閉ざされた高度な文明社会というSF感が盛り沢山。二つの要素をそれぞれ楽しむだけでなく、二つの世界が徐々に交差していくドキドキ感もある。原作漫画は連載中なのでアニメの続篇にも期待したい。

⑥の**『江戸前エルフ』**は、四百年以上前に異世界から召喚され神社に祀られているエルフの物語。異世界へ行くではなく異世界から来た者の、冒険ではなくダラダラとした日常が新鮮。長寿で美しく描かれることが多いエルフが人見知りでオタク気質というのも楽しめた。

⑦は**『PLUTO』**。『鉄腕アトム』のエピソードの中でも有名な「地上最大のロボット」を元に浦沢直樹が新たに描いた漫画を原作としたアニメ作品。浦沢版で描かれている以上に「今」の映像になっているので、手塚治虫や『鉄腕アトム』を知らないという人は是非ココから体験して欲しい。

⑧の**『EDENS ZERO』**第二期は、近年では珍しい宇宙を旅する作品。機械の住人と暮らしてきたシキが、冒険者のレベッカたちとの出会いを切っ掛けに外の世界へ、大魔法使いであるマザーに会うための旅をする物語。シキの重力操作だけでなく、時間、水、電子機器、などなど。エーテルギアと呼ばれる様々な能力を使ったバトルも見所。

⑨の**『REVENGER』**の舞台は、我々とは異なる歴史を辿った長崎。力なき人たちの復讐を代行する殺し屋REVENGER（りべんじや）に図らずも加わることになった繰馬雷蔵の物語。様々な武器が登場するなんでもありな部分と、リアル方向のドラマと絵柄が楽しめる作品。

⑩の**『ツンデレ悪役令嬢リーゼロッテと実況の遠藤くんと解説の小林さん』**は、昨今流行りの異世界転生ではなく、異世界（ゲーム）世界に生きる人物に、ゲームを楽しんでいる我々の声が届いたら……という体の作品。その視点も展開も面白かった。

こばやし・おさむ●66年生れ。アニメ系フリーライター。今回の対象作品は約一四〇本。その中でも異世界転生ものはまだまだ多く、今回ランクインしたような変わり種も増えている。また正面から異世界を構築し舞台にする作品も登場しており、まだまだ新しい楽しみは増えそうだ。

SFドラマ

大掛かりなSF大作をもとに、配信作品ならではの製作体制で見事に映像化

武井 崇 Takei Takashi

❶『三体』（WOWOW）
❷『アッシャー家の崩壊』（Netflix）
❸『コペンハーゲン・カウボーイ』（Netflix）
❹『サイロ』（AppleTV＋）
❺『地球に落ちてきた男』（U‐NEXT）
❻『ウェンズデー』（Netflix）
❼『ブラック・ミラー　シーズン6』（Netflix）
❽『1899』（Netflix）
❾『チェンジリング～ニューヨークの寓話～』（AppleTV＋）
❿『THE SWARM／ザ・スウォーム』（Hulu）

昨年もそうだったが、二〇二三年SFドラマベスト10も全て配信作品になった。昨年との違いは二点。ひとつは大作SFを原作にしたドラマが四本ランクイン。映像化が難しかった大掛かりな原作を、配信作品ならではの製作体制で見事にドラマ化している。もう一点は、作家性の強い作品がこちらも三本ランクインしたこと。②のマイク・フラナガン、③のニコラス・ウィンディング・レフン、⑥のティム・バートンと、独創的な映画作品で高い評価を得ているクリエイターが製作した事を全面に出し、ある意味映画のような世界観が見られる作品に仕上がっている。ドラマよりも映画に近い配信の製作体制が活かされた。同様に、今までドラマにはあまり馴染みのないスターが出演する配信作品も増えてきているのも、同様の理由からだと思われる。

①は、アジア圏の作品としてヒューゴー賞を初受賞した劉慈欣原作の壮大なSFを正面からドラマ化。世界各地で相次ぐ科学者の自殺という事件を解明するために、研究者汪淼《ワン・ミャオ》は、はぐれ者の警官、史強《シー・チアン》の助けを借りて、事件に関係していると思われる科学組織〝科学境界《フロンティア》〟へ潜入する……。中国のSFドラマという目新しさと巧みなストーリーテリングで、スケールの大きな原作を見事に描きだした。本年にはアメリカでもドラマ化される。

②は、エドガー・アラン・ポーの代表作「アッシャー家の崩壊」をモチーフに、有名な「赤死病の仮面」「黒猫」「告げ口心臓」などの作品を組み合わせて、現代を舞台に構成するという手法で描かれたドラマ。巨大製薬会社を経営するアッシャー家の子供たち六人が、一人一人破滅して死んでゆくミステリアスな展開を、『ドクター・スリープ』（19）や『真夜中のミサ』（21）などの独創的なホラー作品で知られるマイク・フラナガン監督が見事に描き出したホラー作品。

③は『ドライヴ』（11）『ネオン・デーモン』（16）など鮮烈なビジュアルと幻惑的な作風で知られるデンマーク出身の気鋭ニコラス・ウィンディング・レフン監督が手掛けたドラマ。視覚障害を持つ監督独特の、ブルーとレッドを中心にした色彩コントラストは、一度見たら忘れられないくらい強烈な仕上が

武井 崇氏が選んだ！

2023年度

SFドラマ作品 ベスト3

1

2

3

り。ヒロイン、ミウの存在感も素晴らしかった。

④はヒュー・ハウイーのＳＦ大作『ウール』を原作に、誰が何のために作ったのかがまったくわからない、地下深く作られた一四四階建ての一万人が住むサイロを舞台に展開される本格ＳＦドラマ。百四十年前に起きた反乱以前の記録はまったく無く、それを探ることは厳しく取り締まられる。そしてサイロの外の世界との接点は、一台のカメラという特殊な世界観を見事に描き出した壮大な映像美術が見事。

⑤はカルト的な人気を誇るＳＦ映画『地球に落ちて来た男』（76）の続篇として製作された。主役の〝落ちてきた〟エイリアンが、地球を知らない無垢さから頭の切れる天才科学者に変貌してゆく姿を、映画版の展開とオーバーラップさせながら描いてゆく。

⑥は『シザーハンズ』（90）などの鬼才ティム・バートン監督製作総指揮。『アダムス・ファミリー』（91）の長女ウェンズデーを主役にしたドラマ。ティム・バートンらしい凝った映像を駆使し、ひねくれた性格のウェンズデーが、不思議な学園内で殺害事件の謎を追う姿をスピーディーに描く。不幸を愛し皮肉屋で成績優秀、運動神経抜群なクールな美少女、ウェンズデーの魅力爆発なドラマだ。

⑦は、近未来のテクノロジー、特にＳＮＳを題材として取り上げたオムニバス作品だが、四年ぶりに製作されたシーズン６は少し雰囲気が変わってホラー要素や物語を重視した作品がメイン。見応えある作品が揃っている。宇宙ステーションという閉鎖空間での泥沼の恋愛劇や、ストリーミングサービスで勝手にドラマの主人公にされてしまう女性、派手な悪魔とインド系イギリス人の変なコンビが活躍するコメディホラーなど、相変わらずバラエティに富んだ強烈な作品が揃っている。

⑧は多国籍キャストによる壮大なミステリＳＦ大作。新天地に向けて航海していた客船で立て続けに起きる不思議な出来事を描く。ミステリ、ホラーから本格ＳＦへと謎が謎を呼ぶ複雑で難解な展開、最初からは想像のつかないラストまで、ついつい見続けたくなる中毒的な展開の作品だ。

⑨はビクター・ラバル原作の大人のためのホラーファンタジイ。失踪した妻を追うアポロが、命がけの奇妙な旅に出る。ニューヨークの地下に暮らす人々などクトゥルー神話を意識した展開が楽しい作品だ。

⑩はフランク・シェッツィングのベストセラー小説『深海のＹｒｒ』のドラマ化作品。ヨーロッパのドラマでは最大級の製作費をかけ、世界に配信網を持つ配信会社の強みを活かして七か国にまたがって製作された国際的な作品。世界各地での海で起きた異変が少しずつリンクしてゆく大掛かりでスリリングな展開を見せてゆく。日本からは木村拓哉が出演するなど国際的なキャストも話題となった。

たけい・たかし●65年生れ。映像ライター。2024年は年初から大きな災害や事故が発生して緊張感のある始まりになりました。気を引き締めて一年を過ごしてゆこうと思います。

ベスト10 サブジャンル別 & 総括

SFゲーム

クトゥルフ神話からのインスパイアをフィッシングゲームと融合する驚き

宮 昌太朗
Miya Shotaro

❶『DREDGE』（PC、Nintendo Switch、PS4/5、Xbox）
❷『Wall World』（PC、Nintendo Switch、PS5、Xbox）
❸『デイヴ・ザ・ダイバー』（PC、Nintendo Switch）
❹『ゼルダの伝説　ティアーズ オブ ザ キングダム』（Nintendo Switch）
❺『恐怖の世界』（PC、Nintendo Switch、PS4/5）
❻『Storyteller』（PC、Nintendo Switch、iOS、Android）
❼『Chants of Sennaar』（PC、Nintendo Switch、PS4、Xbox）
❽『The Cosmic Wheel Sisterhood』（PC、Nintendo Switch）
❾『Hi-Fi Rush』（PC、Xbox）
❿『Starfield』（PC、Xbox）

一昨年に引き続き『Marvel's Spider-Man2』や『Alan Wake2』など、大作・話題作が目白押しだった二〇二三年。SFゲームという意味では、米・ベセスダゲームスタジオが久々に手掛けた完全新作『**Starfield**』に言及しないわけにはいかないだろう。舞台は、人類が太陽系の外側に進出した西暦二三三〇年。探検家集団・コンステレーションの一員となったプレイヤーは、広大な宇宙へ探索の旅に出ることになる。ゲーム内には百以上の星系に千以上の星が存在し、しかもそのほぼすべての星を探索可能という壮大なスケール感、SF心をくすぐられずにはいられない鮮烈なビジュアルなど、発売前から大きな話題を呼んでいた一作だ。とはいえ実際に発売されると、決して評価は高くないというのが本当のところ。作中で課せられるミッションに似ているものが多かったり、あるいは自由度が非常に高いからこそ、逆に遊び方がわかりづらいところも、評価が伸び悩んだ原因だろうか。今年の二月からは定期的なアップデートが始まる予定なので、より充実した内容に進化することを期待したい。

もう一本、話題を集めた大作を挙げるならば『**ゼルダの伝説　ティアーズ オブ ザ キングダム**』も忘れがたい。基本的なシステムやストーリーは、二〇一七年に発売された前作『ブレス オブ ザ ワイルド』を踏まえたものながら、どこに行くのもプレイヤーの自由という、オープンワールドならではの探索の楽しさに加えて、本作の大きな魅力になっているのが、オブジェクト同士を繋ぎ合わせて新たなアイテムを生み出す「ウルトラハンド」という要素。板と扇風機を組み合わせて舟を作る……など、プレイヤー自身のひらめきが試されるあたりが楽しい。また、舞台となるハイラル王国の過去を巡るストーリーなど、ファンタジー作品としても充実した内容になっている。

一方のインディゲームでも、注目作品が続々登場。なかでも、高い壁が聳え立つ世界を舞台に、クモ型ロボットに乗り込んで飛来するエイリアンと戦う『**Wall World**』は、SF的なビジョンとローグライクアクションの面白さを組み合わせた秀作。内容自体は、一昨年に発売され好評を呼んだ『Dome

宮 昌太朗氏が選んだ!

2023年度

SFゲーム作品 ベスト3

1

2

3

Keeper』のバリエーションと言えるのだが、人々が高い壁に貼りつくようにして暮らす「壁世界」というアイデアがなにより面白い。

『**デイヴ・ザ・ダイバー**』も『Wall World』同様、ローグライクアクションにひとヒネリを加えた一本。昼は色鮮やかな魚が泳ぎ回るブルーホールを探索し、夜はそこで手に入れた獲物をネタに寿司を握る。ローグライクに経営シミュレーションの要素を加え、さらにちょっぴりファンタジックな海中探検ストーリーでデコレーション、というテンコ盛りな一作で、こちらもオススメだ。

ワンアイディアで一本の作品を成立させてしまう突破力もまた、インディゲームの面白さだ。その意味で「物語」をテーマにした一風変わったパズルゲーム『**Storyteller**』は、まさにインディゲームらしいインディゲームと言える。ステージごとに用意されたお題に沿うように、登場人物と場面（シチュエーション）のパネルを配置し、うまくお話を作り上げられれば成功。シェイクスピアの戯曲や『ドラキュラ』など、有名作品をモチーフにしたステージがあるのも面白いし、「物語」の根源に触れた気分になれるのも楽しい。

さて、冒頭で少しだけ触れた『Alan Wake2』もそうだが、二〇二三年はホラータッチの作品に印象的なものが多かった。『**恐怖の世界**』と『**DREDGE**』は、どちらもクトゥルフ神話からインスパイアされた作品。『恐怖の世界』の舞台となるのは塩川という小さな町。そこで次々と起きる奇妙な事件に振り回されながら、プレイヤーは旧き神の侵略に対抗することになる。行動するたびに「破滅値」が上昇し、これが一〇〇%になれば強制的にゲームオーバー。また登場する事件も真相がわからないまま、ひとまず終結……なんて結末を迎えることもあり、なんともイヤな後味がまた後を引く。マンガ家・伊藤潤二に触発されたというモノクロのビジュアルもまた禍々しい。

一方の『DREDGE』は、不気味な雰囲気漂う諸島を舞台にした魚釣り&アドベンチャーゲーム。プレイヤーはトロール船を操り、魚釣りでお金を稼ぎながら、トロール船の装備を強化し、少しずつ探索を進めていくことになる。ここでひとつ鍵になるのが、夜の海に出没する不気味な「闇」の存在。しかも釣り上げた魚には、明らかに奇怪な姿をしたものが混じっていて、島の住人たちの間ではなんとも恐ろしい伝承が語られたりもする。いったいこの諸島には、どんな魔物が潜んでいるというのか……。のんびりしたイメージのあるフィッシングゲームとクトゥルフ神話という、一見真逆にも思える二つを融合。『デイヴ・ザ・ダイバー』同様、海を舞台にしたゲームでも、ここまで手ざわりが違うものができるのかと驚かされる。

みや・しょうたろう●72年生れ。ライター。

このSFを読んでほしい！

小社・早川書房をはじめ各出版社の、2024年2月以降のSF関連新刊情報を、国内・海外とりまぜて、いちはやくご紹介します。

― SF出版各社2024年の刊行予定 ―

早川書房
アトリエサード
KADOKAWA
河出書房新社
光文社
国書刊行会
集英社
小学館
新潮社
小鳥遊書房
中央公論新社
東京創元社
徳間書店
文藝春秋

『フォース・ウィング』
原書書影

早川書房

弊社の国内SFの予定は「2024年のわたし」をご覧ください。ほか単行本は、江戸幕府が存続している現代日本を舞台にしたノワール、川崎大助『素浪人刑事《デカ》東京のふたつの城』を二月に、すでに話題沸騰のSFコンテスト特別賞受賞作、間宮改衣『ここはすべての夜明けまえ』を三月に、冲方塾出身の木村浪漫によるスタイリッシュ体感ゲームアクション『イエロージャケット・アイスクリーム』を四月に、池澤春菜SF短篇集を五月、芦沢央SF短篇集を六月に。鹿野司『サはサイエンスのサ〔完全版〕』も予定。文庫JAでは、日本SF作家クラブ編の書き下ろしアンソロジー第四弾『地球へのSF』が五月、『AIとSF』の第二弾は秋に。シリーズでは、冲方丁『マルドゥック・アノニマス9』、五代ゆう《グイン・サーガ》最新刊。そして、あの異世界ミステリシリーズ第三作と、《〇は〇〇》約十年ぶりの新作も？　そして、野尻抱介『素数の呼び声』もついに！（文中敬称略）

ハヤカワ文庫SFは、お待ちかね、劉慈欣『三体』三部作の文庫版を二月から隔月で刊行！　また映画『デューン　砂の惑星PART2』公開にあわせて、《デューン》第三部『砂丘の子供たち』新訳版も。中国のエンタメSF大作の江波『銀河之心＊』、チェイニー＆ブレイジーのミリタリSF、キャサリン・M・ヴァレンテの音楽スペースオペラなど、多彩なラインナップでお送りします！

FT文庫は、イ・ヨンドによる韓国の伝承を基にした大型ゲーム化進行中ファンタジイ《涙を呑む鳥＊》シリーズや、キングフィッシャーのヒューゴー賞受賞作『いばらと骨＊』などを刊行予定。

単行本は、米ベストセラーランキングを独走する竜騎士学園ファンタジイのヤロス『フォース・ウィング＊』を刊行。ほかにキム・チョヨプの連作短篇集『惑星語書店＊』、魔法書を守る一族の姉妹を描くトルジュ『インク、血、姉妹、書士』などを予定しています。ご期待ください！（＊は仮題）

アトリエサード

このコーナーで予告しながら、発行の遅れていたものを今年こそ、発行しようというのが年初の目標になりました。あれやこれを出します。昨年は、壱岐津礼の『かくも親しき死よ～天鳥舟奇譚』健部伸明『メイルドメイデン～A gift from Satan』、シェアード・ワールド、エクリプス・フェイズの小説連作集、伊野隆之『ザイオン・イン・ジ・オクトモーフ～イシュタルの虜囚、ネルガルの罠』と小説タイトルが続きました。今年も続けて、邦人小説と、ナイトランド叢書としてエドワード・ルーカス・ホワイト『セイレーンの歌』、マンリー・W・ウェルマン『ジョン・サンストーンの事件簿』、そして岡和田晃による批評集第三なども予定。

また、ヴィジュアル絵本『赤い蝋燭と人魚』を予定しています。小川未明の名作童話に、映像の魔術師・二階健が甘美なイメージを添えた写真絵本です。二階健（ヴィジュアル・詩）「人魚の恋」を併録します。　（文責・岩田恵）

KADOKAWA

二〇二三年十二月刊、恐怖心の無いアンドロイド・アリサが、予測のできない怪異と対峙する、饗庭淵『対怪異アンドロイド開発研究室』が重版出来中です！　同作は第8回カクヨムWeb小説コンテストの〈ホラー部門〉特別賞受賞作品でした。同時発売の大賞受賞作、押入れの異形「ナイナイ」を描く、尾八原ジュージ『みんなこわい話が大すき』も見逃し無く。

さらに三月には、カクヨム発のSF系作品が二作刊行されます。

田中空『未来経過観測員』は、借金返済のために観測員となったモリタが、百年ごとに目覚めて人類史を観測するという物語。希望に満ち溢れた未来を期待していた彼は、人類絶滅の危機に遭遇してしまい――。著者の田中空は、異色のSFコミック「タテの国」でも注目を集めています。

八潮久道『生命活動として極めて正常』は、何人も考えつかない「ifの社会」をネット小説の異端児がウィットたっぷりに綴る、抱腹必至のユーモア作品集です。

河出書房新社

河出文庫『NOVA 2019年春号』で発表された傑作、飛浩隆「流下の日」、小川哲「七十人の翻訳者たち」。これらの作品とともに、雑誌〈文藝〉ほかに発表された短篇を収録した、飛・小川各氏の個人作品集を準備中。

三月には、第4回百合文芸小説コンテスト大賞受賞作ほかを収録した、待望の坂崎かおる初作品集『嘘つき姫』が刊行です。

文庫オリジナルの書き下ろしアンソロジーとして、昨年刊行されSFファンにも好評をいただいた『百合小説コレクションwiz』の第二弾が出ます。また、昨年末に書き下ろし長篇『奏で手のヌフレツン』を発表した西島伝法ほか豪華作家陣が参加する、某名作SF漫画のトリビュートアンソロジーが刊行されます。瞠目してお待ちください。

河出文庫としては、アヴラム・デイヴィッドスン『エステルハージ博士の事件簿』が今月、そしてついに、宮内悠介『スペース金融道』が三月に発売です。

光文社

斜線堂有紀、澤村伊智、芦花公園などなど新たな常連たちがベテラン勢としのぎを削る新作短篇コロシアム《異形コレクション》。今年も二冊の刊行を予定しております。意外な新顔の初登場も含め、ご注目ください。

斜線堂有紀はデビュー作に始まる《キネマ探偵カレイドミステリー》シリーズ六年ぶりの新作も単行本で秋に刊行される予定です。

刊行が延びていた澤村伊智のスプラッタ本格推理『斬首の森』は四月予定。お待ちいただいたかいのあるものに仕上がりました。

同じ四月には、石田祥のSFラブコメ『火星より。応答せよ、妹』も予定しています。こちらは文庫書下ろしで御目見得予定。

魔女の実在する（しかも迫害されている）世界が舞台の本格ミステリ・榊林銘『毒入り火刑法廷』、怪奇探偵譚・大島清昭『一目五先生の孤島』、田中芳樹『白銀騎士団』の続篇、そして平山夢明『ボリビアの猿』も年内にはきっと！

国書刊行会

《レム・コレクション》二月の新刊として『捜査／浴槽で発見された手記』を刊行（久山宏一・芝田文乃訳）。冬のロンドンで続発する死体消失事件。事件は次第に奇怪さと不穏さを増してゆき……（『捜査』）。地球上のあらゆる紙がウイルスによって分解され、文明の記録が消え去ったあと、遺跡の浴槽で一冊の手記が発見される（『浴槽で発見された手記』）。ミステリ・SFの体裁をとった不条理小説ともいうべき二つの異色作。続刊予定は『電脳の歌』（芝田文乃訳）。邦訳版（『宇宙創世記ロボットの旅』）刊行後に書き継がれた作品を精選増補した本巻によって、連作の全体像を初めて示す。諧謔と風刺、パロディ、言語遊び、文明論的批評などに満ちた愉快な作品集（以上すべて新訳）。『伊藤典夫評論集成』（約一四〇〇頁・函入）はなんとか春に。ジュリー・フィリップス（北川依子訳）『男たちの知らない女 ジェイムズ・ティプトリー・ジュニア伝』も年内刊行を目指して進行中。

集英社

昨年当欄で告知いたしました、天沢時生『キックス』、藍銅ツバメ『馬鹿化かし（掲載時・首切り役人・山田暁右衛門）』が〈小説すばる〉にて絶賛連載中です。

天沢時生『キックス』は、滋賀県を舞台に、スニーカーの贋作で成り上がるクライムノベル。滋賀県、琵琶湖は映画『翔んで埼玉〜琵琶湖より愛をこめて〜』の舞台となるなど、エンタメの舞台として注目が急上昇中。今作も連載後の刊行にどうぞご期待ください！

藍銅ツバメ『馬鹿化かし』は、山田浅右衛門をモデルとする首切り役人と、馬鹿という怪異によりタッグが送る幕末ファンタジー。藍銅氏の血肉沸き立つ世界観が堪能できる作品となっています。二月号（一月発売号）より連載中のため、読み始めるなら今です！

人間六度によるSF短篇作品も充実！〈千字一話〉コーナーでは、毎月SF作家などによるフラッシュフィクションを掲載中。長谷川京、猿場つかさなどの新鋭の短篇・中篇も今後掲載予定です。

小学館

昨年の本欄で予告した新馬場新氏新作『十五光年より遠くない』をギリギリ十二月に刊行しました。観測史上最大規模の太陽フレアが発生、文明が停止した少し未来の日本を舞台にした物語。本年は毛色の違う新作も準備中なので、あわせて乞うご期待です。そして同じく昨年予告の犬村小六氏の新作『白き帝国』も本年二月刊予定。

またその他にも二〇二四年刊のガガガ文庫からはSFファンの皆様も要チェックの注目作が続々刊行予定！　まずは劇場アニメ『夏へのトンネル、さよならの出口』の八目迷氏《時と四季》シリーズ最新作。四作目は「冬」がテーマの作品になる予定です。デビュー作『わたしはあなたの涙になりたい』が『このラノ』1位の四季大雅氏も新作を準備中。さらに近年は『TRIGUN STAMPEDE』原案等でも活躍目覚ましいオキシタケヒコ氏『筐底のエルピス』も、ついに最終章の姿が見えてきた……!?　本年もどうぞお楽しみに！

新潮社

今年の日本ファンタジーノベル大賞は、なんと転生もの!?　宇津木健太郎の『猫と罰』は、『吾輩は猫である』でお馴染み漱石の猫をはじめ、文豪の愛猫達が輪廻の輪をめぐる奇想ファンタジー。SF好きにも、猫好きにも、是非読んでもらいたい一冊。六月刊行予定。

新潮文庫nexからは、異才のSF作家・作刈湯葉の少し不思議なジェントル・ゴースト・ストーリー『幽霊を信じない理系大学生、霊媒師のバイトをする（仮）』が初夏刊行予定。他人の気持ちが分からない大学生が謎の霊媒師と出会い、奇妙なアルバイトの日々が始まる青春SFです。

昨年、全員もう死んでる系ミステリ『クローズドサスペンスヘブン』で鮮烈デビューを果たした五条紀夫の新作『イデアの再臨』も五月に刊行されます。今度の犯人は「　　」を消す!?　電子書籍化絶対不可能の超展開に、またもや話題沸騰必至です。

チェケラ！

小鳥遊書房

小野俊太郎の書き下ろしディック論『P・K・ディックの迷宮世界――世界を修理し続けた男』、そして海老原豊『ディストピアSF論――ユートピアの希望』が出ます。山野浩一復刻プロジェクトも進行中。『レヴォリューション』に一篇を加えた『レヴォリューション＋1』として編者の岡和田晃による解説が付されます。

昨年『SFする思考』で日本SF大賞を受賞した荒巻義雄は生涯現役を貫き、受賞第一作『海没都市TOKIYO』に続いて今年も書き下ろし小説を刊行予定。新戸雅章編著『天才ニコラ・テスラのことば』の増補版も出ます。

『文学と魔術の饗宴』と題した論集、西洋篇と東洋篇を計画中。海外ミステリでは『パッセンジャー』で日本翻訳大賞最終候補に残ったリサ・ラッツの『スワロウズ』（杉山直子訳）が。長山靖生編復刻アンソロジーもお楽しみに！

更に、荒巻義雄＆巽孝之共編による極秘のSF評論プロジェクトが進行中！（タイトルはすべて仮）

中央公論新社

森見登美彦氏の最新作『シャーロック・ホームズの凱旋』はすでに読まれたでしょうか。寺町通221Bの名探偵シャーロック・ホームズが、ヴィクトリア朝京都で右往左往する本作はSFファンにこそオススメの一冊です！

さて、二〇二四年度におすすめしたいのは次の二作です。

まず、令和のもののふSF作家・柴田勝家氏が贈る書き下ろし長篇『秘曲金色姫』（仮題）。幻の能曲「金色姫」を巡り、室町から令和の新宿トーヨコまで、時を越えて紡がれる異色の能SFにご期待下さい。

次に、前代未聞の異色短篇集『日中合作唐代SFアンソロジー長安ラッパー李白』（仮題）もご紹介。中華SFを得意とする十三不塔氏や、中国星雲賞の常連となった俊英・梁清散氏の完全新作を含め、中国の大唐帝国を舞台にしたSF作品を編みます。編者は大恵和実氏。『移動迷宮』『走る赤』に続く中国SFアンソロジー第三弾として鋭意編集中です。

東京創元社

国内からは、TVアニメとゲームで展開される《SYNDUALITY》の、高島雄哉による公式小説『はじまりの青』や、笹本祐一の新シリーズ第二幕『星の航海者2』、藤井太洋の短篇集『まるで渡り鳥のように』、待望の『円城塔短編集』、柞刈湯葉のロードノベル『記憶人シィーの最後の記憶』を刊行。空木春宵『感傷ファンタズマゴリイ』や宮西建礼『銀河風帆走』など、創元SF短編賞出身作家の短篇集や、同賞の最新受賞作を掲載する『紙魚の手帖』夏のSF特集号もお見逃しなく。

海外ではJ・P・ホーガン《星を継ぐもの》シリーズ最終巻『ミネルヴァ計画』、マーサ・ウェルズの大人気シリーズ《マーダーボット・ダイアリー》最新作、セコイア・ナガマツのル＝グィン賞特別賞受賞作『闇の中をどこまで高く』、グレッグ・イーガンほか『人新世SF傑作選』、アン・マキャフリーの名作にシリーズ作品二篇を追加した新訳『歌う船［完全版］』などを予定しています。

徳間書店

二二年末に刊行の谷口裕貴氏『アナベル・アノマリー』が本書で9位にランクインとのこと。愛読者の皆様、投票いただいた皆様、ありがとうございました。谷口氏は鋭意新作を執筆中（のはず）。二四年中の刊行は、難しいかも。

今年、当社は歴史伝奇SF（ファンタジー）の年になりそう。一月には田中啓文氏の『貧乏神あんど福の神』のシリーズ四作目。三月には、大藪賞作家・武内涼氏の歴史怪奇アクション大長篇『あらごと、わごと』が刊行開始。四月にはジャンル横断で活躍・六道慧氏の平安伝奇ファンタジー『安倍晴明くれない秘抄』が開幕。いずれも徳間文庫。

それ以外では若木未生氏の某作は、どうなるか……など、不確定要素も。

月刊文芸誌〈読楽〉（電子版のみとなりました）では、夢枕獏氏『闇狩り師　魔多羅神』、村山早紀氏『風の港2』が連載中。そちらにもご注目くださいませ。

文藝春秋

二〇一六年に『待ってよ』で松本清張賞を受賞してデビュー。その後も神奈川大賞に選ばれた『横浜大戦争』、世界的スケールで描かれた『焼餃子』など、個性的なSF作品を発表してきた蜂須賀敬明さん待望の最新作が、サラブレッドたちのロマン、競馬の奇跡を描いた『さよなら凱旋門』です。

フランス凱旋門賞ゴール直前で雷に打たれた日本人騎手が蹄鉄に転生し、アラブ人厩務員のアリーとともに名牝の血を世界各国で受け継いでゆく――誰にも真似できない奇想天外なアイディアで、ラストでは落涙せずにいられない大河ロマン小説となっています。

さらに『図書館の魔女』の作者・高田大介さんによる知的探索ミステリー『星見たちの密書　エディシオン・クリティーク』、千葉ともこさんの中華ファンタジー『火輪の翼』、そして年末には帝王スティーヴン・キングの『フェアリー・テイル（仮題）』など、話題作が目白押しにて本年もご期待ください。

人気大河シリーズの現在

あの物語は いまどうなって いるの？

紹介シリーズ一覧

宇宙英雄ローダン
裏世界ピクニック
グイン・サーガ
マルドゥック・アノニマス

SFやファンタジイの醍醐味のひとつである、長大な大河シリーズの傑作たち。その巻数は、ときに100巻以上にもおよびます。「昔は読んでいたけど最近の展開がわからない！」「最新刊から読み始めたいけど、これまでのお話も知っておきたい！」というみなさまのため、シリーズのすべてを知りつくした書き手たちがあの物語の「今」を解説します。　（編集部）

宇宙英雄ローダン

編集部

《ローダン》シリーズは現在も毎月二冊の刊行を続けており、二〇二四年二月上旬刊で七百六巻になります。六七五巻後半から始まる《タルカン》サイクルの序盤で、ローダンは死にゆくタルカン宇宙に弾き飛ばされ、通常宇宙側ではプシオン・ネットの消滅によりネットウォーカーは解散することとなりました。一方、ローダンはタルカン宇宙にて通常宇宙へ帰る方法を模索するのでした……。

では、二〇二三年二月下旬以降に刊行した六八三巻以降のあらすじを紹介していきます。

ローダンは、通常宇宙からタルカン宇宙へと姿を消したエスタルトゥの超越知性体の行方を追いつつ、通常宇宙へ帰還する方法を探していた。そしてコスモクラートの禁令が解かれたことを知ったアトランもまた、遠征隊を率いてローダンを探すためタルカン宇宙へと遷移する。タルカン宇宙はヘクサメロンの教義を信じるハウリ人が暗躍しており、ローダンもアトランも、行く先々でハウリ人と敵対する。アトランはカルタン宇宙から通常宇宙へハンガイ銀河を転移させる計画を阻止するために作られたハウリ人の物質シーソーを破壊したが、通常宇宙のブルとグッキーは物質シーソー以上の強制転移装置である巨大宇宙ステーション《ウリアン》を発見し、その存在をアトランたちに知らせるため、彼らもまたタルカン宇宙へと転移した。

ローダンはタルカン宇宙でもドリフェルを発見し、五万五千年前にカルタン宇宙でのヘクサメロンとの壮絶な戦いでエスタルトゥが敗北したことを知る。アトランら遠征隊はついにローダンを救出し、ブルらも合流、ヘクサメロンの眷属である炎の侯爵アフ＝メテムとの戦いに勝利した。ＮＧＺ四四八年、ハンガイ銀河の最後の四分の一とその住人およびローダンらは通常銀河への遷移に成功する。エスタルトゥはかつてヘプタメルに破れたふりをしてハンガイ銀河の居住種族ベングエルと恒星探索者のジュアタフ・ロボットの中に意識断片となって潜み、五万年ものあいだハンガイ銀河の遷移を成功させるべく導いてきた経緯が、エスタルトゥの具象ヒルダルによって語られた。そして数十億のベングエルとジュアタフが精神融合し、ついにエスタルトゥが復活。それを見とどけたローダン一行は二百六十万光年離れた故郷銀河へと向かった。

この先からは七〇〇巻後半から始まる《カンタロ》サイクルとなります。

故郷銀河を目指していたローダン率いる銀河系船団はいつの間にか停滞フィールドに囚われ、六百九十五年先の未来に飛ばされていた。状況を確認するも、元の時代の消息を伝える者は何ひとつ残されていなかった。この約七百年間の出来事を調べつつ故郷銀河へ向かうが、銀河系からはあらゆる通信が探知されず、謎のバリアによって故郷銀河への突入は失敗した。そんな中〝サトラングの隠者〟を名乗る者が銀河系を封鎖する支配者と闘おう、と呼びかける通信を傍受する。その正体は六百年以上バリアを破壊するため研究を続けていたワリンジャーだったが、何者かに暗殺されてしまう。ローダンたちは故郷銀河で何が起こっているのか調査を続けるが……。

ドイツ語版は二月に三千二百六十話（日本語版の千六百三十巻相当）に到達しています。

ペーター・グリーゼ、マリアンネ・シドウ、ほか／宮下潤子、ほか訳／既刊：706巻／ハヤカワ文庫ＳＦ

裏世界ピクニック

編集部

百合ＳＦホラー『裏世界ピクニック』の最新八巻が刊行されたのは二〇二三年一月。つまり、昨年の『ＳＦが読みたい！』が出てからはまだ新刊が出ていません。最新九巻は今春を予定してただいま準備中。この欄では、前回半ば伏せる形で終わっていた八巻の内容を復習します。

現実世界と隣り合わせで謎だらけの異界、裏世界。幼いころに母親を亡くし、父と祖母がカルト教団に没頭してしまった過去を持つ紙越空魚は、教団が壊滅して天涯孤独になった後で大学に進学、廃墟探索を趣味にしていたときにこの裏世界と出会います。夢中になって探検を始めたはいいものの、裏世界は「くねくね」「八尺様」などのネットロアとよばれる怪異が跋扈する、常に死の危険が伴う危険地帯でした。くねくねに襲われて死にかけていた空魚を助けたのが仁科鳥子――カナダ出身でふたりの母親をもち、そのどちらも事故で亡くしている大学生。そんな「少しだけ境遇は似てるけど、ほかは全然似てない」ふたりが出逢って裏世界を探検していくのがこのシリーズ。

物語が進むうちに空魚たちにも知り合いが増えていき、大人の立場からふたりを見守る小桜をはじめ、大学の後輩の瀬戸茜理、裏世界を研究する機関・ＤＳ研の面々、元カルト教祖の潤巳るな、裏世界で拾った不思議な少女・霞などとも絡みながら、主軸は空魚と鳥子、ふたりの関係性を描いてきました。

八巻は、鳥子が空魚と恋人になろうとして、空魚が人間について悩みに悩み、ふたりで話し合い、新たな関係性を見つけるエピソードが繰り広げられました。タイトルは「共犯者の終り」。共犯者は、一巻の時点で「この世で最も親密な関係」と鳥子が呼んで、空魚も執着していた関係性の名前です。すでにこの世で最も親密なのに、わざわざ「恋人」なんて一般的な、すぐ心が離れていきそうな関係に今さらならなくても……という葛藤を、正直に鳥子に伝える空魚。両親に愛されて育った鳥子とは、家族や恋人というものへの感情が、どうしても異なってしまう。そんな膠着状態で、鳥子が空魚と恋人になりたい理由を明かす。「空魚と、セックスしたい」。

裏世界で怪異の侵食を受けて、互いに異能を手にしていたふたり。そんな二人の初体験が、尋常のもので終わるはずがなく――そこは本文を読んでいただくとして、空魚は自分たちを示す新たな関係性を、二人の名前から「鵺《ぬえ》」と名づけました。

ということで、主人公たちの人間関係が大きく更新された八巻。シリーズはまだ続く予定、九巻からは裏世界そのものと向き合うＳＦ度も高めの展開になっていきそうです。八巻で新登場の裏世界異物の管理人、自称魔術師の辻も再び登場するかも？

二〇一七年刊行の一巻では「ツイッターで騒いでるみたい」という台詞があったのを、ツイッターの終了で思い出す昨年でした。

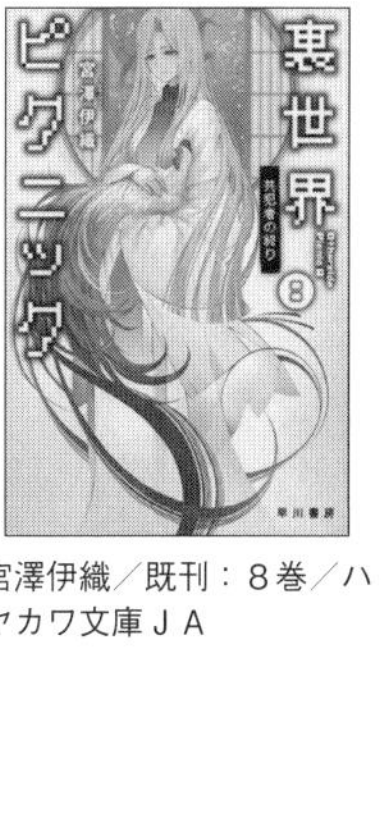

宮澤伊織／既刊：８巻／ハヤカワ文庫ＪＡ

グイン・サーガ

八巻大樹

昨年は、グイン・サーガの読者にとって少々懐かしいイベントがあった。三月から五月にかけて外伝『サリア遊廓の聖女』（全三巻）が連続刊行されたのだ。かつては幾度となく行われ、ファンを喜ばせた「月刊グイン・サーガ」だが、三ヶ月連続となると二〇〇七年以来、実に十六年ぶりのことである。そして奇しくも『サリア遊廓の聖女』で描かれた物語は、その当時に描かれた豹頭王グインと稀代の剣闘士ガンダルとの死闘をはじめとする冒険とも因縁浅からぬものとなった。

『サリア遊廓の聖女』の物語は、その死闘から七年を遡る。黒竜戦役がまだ終結せず、モンゴール大公国によるパロ聖王国の占領が続いているころのことだ。主人公は、パロの流浪の王子にして吟遊詩人のマリウスである。物語の冒頭でマリウスは、心通わせたモンゴールの公子ミアイルを兄アルド・ナリスの手によって暗殺された絶望のなか、クム大公国の大都市タイスを訪れる。愛する少年の死に傷心し、再び祖国を捨てて放浪していたマリウスは、ふとしたことからナリス暗殺の噂を耳にし、その真相を確かめるべく、情報を求めて《快楽の都》にやってきたのだ。

タイスの繁華街ロイチョイの酒場で、その噂が本当であることを確かめた彼は、兄への複雑な思いを抱えたまま、世界最大の遊廓として知られる西の廓《くるわ》をあてどなくさまよっていた。その最中、掏摸《すり》を追ううちに迷いこんだ暗い廟《びょう》のそばで、暴漢に襲われていた美しい遊女見習いの少女ワン・イェン・リェンを救った彼は、それをきっかけに西の廓最大の妓楼である蓮華楼に滞在することになる。そして世界最高の美女と謳われる遊女ジャスミン・リーと運命の出会いを果たすのだ。

それを機に、マリウスとジャスミン・リー、ワン・イェン・リェンは波乱の渦に巻き込まれてゆく。西の廓を騒がせる遊女見習いの連続消失事件、対立する東の廓の思惑、稚い少女を餌食にする法度破りの闇妓楼——ロイチョイに蠢《うごめ》いていた悪意が、マリウスたちを容赦なく襲う。そしてある夜、蓮華楼の楼主たちが毒殺され、ワン・イェン・リェンが忽然と姿を消し、ジャスミン・リーまでもが謎の失踪をとげるという衝撃的な事件が起こる。廓での交流の日々のなかで、ワン・イェン・リェンにミアイルの姿を重ねていたマリウスは、彼女たちを救うべく、廓の用心棒と協力し、黒幕の本拠と目される謎多き闇妓楼への潜入を果たすのだが——。

この外伝は、九巻『紅蓮の島』でモンゴールを脱出したマリウスが、外伝二巻『イリスの石』でグインに出会うまでの、いわば語られざる物語の空白の謎を解き明かすものともなっている。また二転三転する物語のなかでは、作中で生じる事件の真相のみならず、マリウスの出自にまつわる真実も語られ、さらには残された最後の謎が七年後、グインとガンダルの死闘の前日に明らかになるという趣向も凝らされている。読者にはおなじみの人物たちも、あちらこちらに顔を出し、物語に花を添えている。おそらくは現在のグイン・サーガの読者のみならず、かつての読者にとっても懐かしさを感じる物語になっているはずだ。ぜひグイン・サーガ世界ならではの濃厚な空気をお楽しみいただきたい。

栗本薫、五代ゆう、宵野ゆめ、ほか／既刊：正篇148巻、外伝27巻

マルドゥック・アノニマス

編集部

二〇二三年、《マルドゥック》シリーズは、第一作『マルドゥック・スクランブル』の刊行から二十周年を迎えました。その記念すべき年に刊行された最新刊『マルドゥック・アノニマス8』ですが、マルドゥック市《シティ》の東に位置する要所マルセル島を舞台に、一巻まるごと、ハンター率いる〈クインテット〉と、そこから離脱したマクスウェル陣営が総力戦を繰り広げるという、異色の展開となりました。百人にのぼろうかというエンハンサーたちの描き分けだけでも至難の業ですが、そのバトルの詳細が、完全にマルセル島の地図の細部に則るという恐るべき内容になっています。たとえば——

ジェイクは（中略）五百メートルほど先の交差点へ顔を向けた。島の中央を南北に縦断するティピア・アヴェニューと、東西に横断するアンクル・ストリートが交わる、島で最大の交差点だ。その北西の角には島の特徴である巨大なバス・ロータリーがあった。／ジェイクがバイクを走らせて先頭に出ると、十四台のバイクが次々に続いた。四車線を目一杯使った三列横隊で交差点を右折し、バス・ロータリーの入口側の前で止まった。

（54ページより）

すべてのシーンがこの精度で描かれ、それどころか、敵味方が対峙する建物の配置、弾道の流れまですべてが地図に基づいて詳細に設定されています。ここまで精緻なマルセル島という舞台装置を作り出し、それに合わせたチェスのような戦略を生み出す。その途方もない労力には唖然とさせられます。《マルドゥック》シリーズを未読の方も、ぜひ、この驚異の一巻を体感してみてください。

そして、今年刊行の第九巻では、物語はウフコックの再潜入捜査、バロットらの集団薬害訴訟へと戻り、『マルドゥック・アノニマス』の法廷篇は佳境を迎えます。

冲方丁／既刊8巻　第9巻・5月刊行予定／ハヤカワ文庫JA

「これから何が起こるのか」を知るための教養　ＳＦ超入門…
SF超入門
「これから何が起こるのか」を知るための教養
冬木糸一
どう？合格？
何が？
マニアな人はそーいう入門読んで紹介されるラインナップを見ながら
「フムフム それを入れて あれを入れないかーー」とか言って楽しむんでしょ
神林的には合格？
わかってないな
合否つけるとか傲慢…？
載ってる作品１割程度が未読だった
入門的作品に未読があるとか
全然マニアじゃない まだまだ初心者だろ
そうだった！マニアな人はそうだった！

特別企画

2024年のわたし

いよいよ2024年がはじまりました。今年、気になるあの人はどんな仕事が控えているのでしょうか?

2010年以降の「ベストSF〔国内篇〕」の10位以内に入った作家・評論家、「ハヤカワSFコンテスト」受賞作家のみなさまに、2024年の活動予定から所信表明、近況にいたるまで、「2024年のわたし」がなにをするのかを教えてもらいました。(編集部)

安野貴博
石川宗生
柞刈湯葉
上田早夕里
空木春宵
円城 塔
大森 望
小川一水
小川 哲
岡和田晃
小川楽喜
オキシタケヒコ
小田雅久仁
笠井 潔
片瀬二郎
神林長平
北野勇作
九岡 望
日下三蔵
草野原々
倉田タカシ
黒石迩守
五代ゆう
塩崎ツトム
柴田勝家
斜線堂有紀
十三不塔
菅 浩江
高島雄哉
高野史緒
高山羽根子
竹田人造
巽 孝之
谷口裕貴
津久井五月
飛 浩隆
酉島伝法
長山靖生
仁木 稔
人間六度
野崎まど
法月綸太郎
長谷敏司
葉月十夏
林 譲治
春暮康一
樋口恭介
久永実木彦
藤井太洋
牧野 修
松崎有理
宮内悠介
宮澤伊織
六冬和生
矢野アロウ

安野貴博

二三年はアンソロジー『ＡＩとＳＦ』に「シークレット・プロンプト」を、〈小説すばる〉六月号に「ディープフェイカーズ」を掲載いただきました。文字媒体以外では日本科学未来館の体験型常設展示「ナナイロクエスト」（シナリオ原案）やＡＩを使ったインタラクティブアート作品「幻視影絵」などを発表した他、声質変換モデルを使い、地上波等でＡＩモノマネ芸を実演したりもしておりました。

二四年は予定通りに進行すればＡＩスタートアップものの長篇が発表できると思います。春ごろにデビュー作の『サーキット・スイッチャー』の文庫化も行う予定です。いつかは読めませんが月面リーガル短篇も出る気がします。

もはやＡＩは二四年の末には何ができるようになっていてもおかしくはないですが、荒波に揉まれながらもおもしろい作品を出していきたいと思うので、今年もよろしくお願いします！

石川宗生

現在、ドル円は上げまくりのように見えますが長期的には下げ基調なので、下げにはしっかりついていきたいです。二〇二七年あたりに百十円前後と予想、まあ願望込みですが。そのあとまた百六十円目指す展開か。今年はレンジっぽく動くのではないかと。円高になるというかドル安だと思うので、ユーロドルのペアなどを狙うのもいいかもしれません。

柞刈湯葉

去年は新潮社〈ｙｏｍｙｏｍ〉で『幽霊を信じない理系大学生、霊媒師のバイトをする』を連載していました。休載が多すぎたせいで新潮社の家屋でカンヅメにされる貴重な体験もしました。書籍版が夏ごろに出ます。出るはずです。

それが片づいたら久々に漫画原作をやります。キテレツ大百科の令和版みたいな話です。並行して『記憶人シィーの最後の記憶』の単行本化とか、三冊目の短篇集とか他の色々を進めます。

最近ｎｏｔｅで月額四百九十円の日記を配信しているので、あらゆる同業者から「儲かってる？」と聞かれます。負担が小さいわりに儲かりますが、金額としては小説のほうが稼げます。というか僕の小説を読まない人が日記に興味を持つはずがないので、当面はあくまで出版業の補助です。変化の激しい時代ですが文筆業も色々と生き方を模索していきたいところですね。

上田早夕里

今年は単著は出ませんが、複数のアンソロジーに短篇を寄稿します。個人短篇集の刊行は二〇二五年前半の予定。書き下ろし作品も収録するつもりです。

二月十二日からNHK‐FMのラジオドラマ番組「青春アドベンチャー」にて、『火星ダーク・バラード』が、全十回で放送されます。有名な俳優さんや声優さんが出演しますので、お楽しみに。私は音声収録の一部を見学させてもらって大感激しました。刊行から二十年経ってのラジオドラマ化、大変ありがたいです。放送後は一定期間内のみネットで「聴き逃し番組」として配信。ご利用下さい。

歴史小説のほうは、おかげさまで昨年刊行された『上海灯蛾』で第十二回日本歴史時代作家協会賞・作品賞を受賞し、SFと歴史小説の仕事を両立できる環境がさらに整いました。秋頃からは〈小説推理〉で、再び、近代史を扱った歴史エンターテインメント小説を連載します。単行本化は二〇二六年の予定。

空木春宵

おかげさまで依頼も絶えず、日々締切に追われつつ過ごしております。ありがたいことです（血の涙を流しながら）。

諸事情から刊行が後ろ倒しとなっていた第二作品集『感傷ファンタスマゴリィ』が春頃に発売される予定です。首を長くして待っていてくださった皆さまの首を片っ端から刈り取っていく所存でおりますので、どうかよろしくお願い致します。

また、anon pressから三月に刊行されるサイバーパンクアンソロジーをはじめ、各社のミステリ、百合、SFアンソロジーに新作短篇が掲載される予定です。立て続けです。この勢いで、「こいつ、どこにでも居るな」と嫌な顔をされるような書き手になりたいものです。その他、未確定ですが、年内にもう一冊、単著を出せるかもしれません。『感応グラン＝ギニョル』の文庫化も控えています。

昨年は「生涯現役」という言葉について深く考えさせられる一年でした。空木もね、最期の最後まで走り続けますよ！

円城 塔

なんだかもう何屋なのかわからなくなっているのですが、今年は本が出る予定です。

池澤夏樹個人編集日本文学全集『雨月物語』の文庫版は昨年中に原稿を渡しました。

年賀状によると、〈文學界〉で連載していた『機械仏教史縁起』の単行本化作業がはじまります。

長らく予告だけだった『円城塔短編集（仮）』（東京創元社）の目処がつきました。「ローラのオリジナル」は大幅に改稿予定。

〈新潮〉での隔月連作『去年、本能寺で』は夏から秋に連載が終わる予定で、書籍化は来年かもしれません。

去年末までSF考証でかかわっていた仕事のなにかが公表されるかもしれませんが、来年以降かもしれません。

全体に、手元の作業過程の脱紙化、脱PDF化を進めつつ、紙メディアと通帳の残高の来し方と行く末を見つめる年になりそうです。

大森 望

今年は年頭から劉慈欣文庫化ラッシュ。まず一月には角川文庫から短篇集二冊、『流浪地球』と『老神介護』が同時刊行。そして二月には、単行本から四年半を経てついに！　あの！　『三体』がハヤカワ文庫SFに満を持して登場。

三月二十一日には、中国版ドラマ『三体』全三十話に続き、Netflix版ドラマ『三体』がいよいよ配信。その翌日には、劉慈欣原作&製作総指揮の映画『流浪地球2』が『流転の地球　―太陽系脱出計画―』の邦題で劇場公開。

このビッグウェーブに乗って、『三体Ⅱ　黒暗森林』『三体Ⅲ　死神永生』も続々文庫化予定。ゲラの海に呑まれそうですが、『三体』もけっこう直したので、これから読む人はぜひ文庫版で！

あと、新しい劉慈欣短篇集と、コニー・ウィリスのUFOロマコメ長篇も待機中。はたして年内に出せるかどうか。『ベストSF２０２３』は収録作選定後、版元都合で停滞中。ご心配をかけてすみません。結論が出たら告知します。

小川一水

まずは『ツインスター・サイクロン・ランナウェイ』四巻を書き上げます。元は書き下ろし短篇なのに主人公二人に予想外のパワーがあったので、はるか遠くまで飛ばしてしまいました。女たちと宇宙を巡るこの物語をちゃんと目的地へ導きます。一年前に話した戦争ものはいまだ調査中。また近々に短篇一本を出す予定です。昨年は予定になかった短篇二本が出ました。まったく別件で、未経験の分野の仕事に参加しています。公表できるのは多分リリース後になります。AIは先月ようやく使い始めました。遅い。

これまでとは書く方向を少し変えたいと思っています。

小川 哲

みなさんご存知の通り、小説家はそれぞれ独自の国内法を制定しています。ご都合主義をどれだけ許容するか、役割語を許すか、熱力学第一法則に違反するガジェットを許すか、読者に対して親切なガイドになり得るが説明的なセリフを登場人物に口にさせてよいか。法律が緩い国もあれば、厳格な国もあります。全体的に甘いのに、特定の法律だけ異様に厳しい国があることも知っています。

僕の国ではクリシェに対してかなり厳しい法律が制定されています。たとえば「肩をすくめる」や「胸を撫で下ろした」という表現は僕の国では違法です。現実世界で、肩をすくめたり胸を撫で下ろしたりすることがないからです（もちろん、他国で合法なことに異議はありません）。二〇二四年の目標は規制緩和です。クリシェへの厳罰を変えるつもりはありませんが、実験的にいくつかの法律を撤廃して合法化してみようと思っています。

目指せ自由の国！

岡和田晃

昨年は抵抗詩集『詩の檻はない』日本語版・フランス語版に参加。〈世界〉に大江健三郎論を、〈日本近代文学〉に「アイヌへの加害の歴史、強制された強制」を寄稿。翻訳は『モンセギュール1244』、『メイキング・オブ・アサシン クリード』（共訳）や、英訳版*The Descendants of Druids*も出版。

今年は編著『上林俊樹詩文集』がSFユースティティアより刊行。〈ナイトランド・クォータリー〉は昨年四冊出版、ただいまVol.35の編集中。アトリエサードからは私の新作評論集と、E・L・ホワイト『セイレーンの歌』の共訳が出ます。小鳥遊書房からは山野浩一『レヴォリューション＋1』を刊行。〈図書新聞〉では森澤友一朗氏とのセリーヌ『戦争』をめぐる対談が掲載、ホビージャパンからは『ウォーハンマーRPG』の『帝立動物園（仮、共訳）』が予定、『エクリプス・フェイズ』デザイナーのロブ・ボイルの来日レポートが〈Role & Roll〉と「TH」に載ります。

小川楽喜

同じ作品をお読みいただいても、こうも受け止め方が違うものなのか、と今更ながらに畏怖を感じる日々を送っておりました。

なぜ書くのか。

何を書くのか。

どう書くのか。

私にとって、最後の問いかけが最も難しいものです。どう書くのか——それへの答えを示せたとき、次回作を書き上げることができるのでしょう。

オキシタケヒコ

長らく溜まっていたあれやこれやを順次片付けていくはずだった昨年ですが、またもやデカいアニメのプロジェクトに急遽関わらせていただくことになりまして、例年どおり出す出す詐欺の継続となってました。この文章が載る頃もそちらに打ち込んでるはずです（なお、放映されるのは四年後ぐらいですので、気長にお待ちいただければと思います）。

そんなわけで畑違いのお仕事に入魂してる毎日ですが、自著用の時間も確保するよう努力し、今年こそは『筐底のエルピス』八巻を出すつもりでいます。あ、停滞したままの『ノームの学園』や某料理SF、あと《通商網》シリーズ短篇等も忘れてるわけではありません。が、正直なところ余力がないので、体力と貯金残高次第でしょうか。そういう意味では物価上昇が辛いです。書くより先に「一日三食ちゃんと食えるように」を目標にしなければならない時点で何かが間違っているような気がしないでもない。

人生ってままならんもんです。

小田雅久仁

今年とうとう五十歳になります。論語には「五十にして天命を知る」とあるそうで、四十歳を「不惑」と呼ぶように、あまり馴染みはありませんが、五十歳を「知命」と呼ぶそうです。たしかに四十になったとき、もうつぶしのきかない年齢ですから、小説家として生きていくことに迷いはありませんでした。しかしそこから瞬く間に十年が経ち、天命を知るというのは、あまりにも飛躍が過ぎ、正直、途方に暮れております。小説家にもし天命なるものがあるとすれば、書くべき作品があるということになるのでしょうが、僕の場合、慢性的なアイディア欠乏症に苦しみながら、絞り出した物語をただただ書き散らすということをくりかえしているだけで、書くべき作品などという高尚なものを思い浮かべることすらできない状況です。しかしもしかしたら書くべき作品は、あらかじめ見えているものではなく、老いて振りかえったときに、あれがそうだったのだ、と見えてくるものなのかもしれません。

笠井 潔

この二月に言視社から『自伝的革命論〈68年〉とマルクス主義の臨界』を刊行する。いわゆる〈68年〉革命の時期に、黒木龍思の名前で政治思想関係の文章を、〈情況〉などの新左翼雑誌に寄稿していた。思想論の主著『テロルの現象学』以前にあたる、二十代前半の仕事をまとめておこうと思いはじめたのは、ここ数年のことだ。半世紀も昔の原稿を読み返してみると、当時の新左翼運動の事情を知らない読者には、理解困難かもしれない箇所が目につく。そこで旧稿のあいだに、その背景や事情や意図について説明する新稿を挟むことにした。新たに書き下ろした部分は、コミュニストとして活動した時期の回想録としても読める。虚飾や自己正当化を排して自伝的な文章を書くのは難しい。だから思想論や、小説の場合は虚構性の高いジャンル小説を選んできたのだろう。回想することは過去への旅でもある。昔のことを思い出して書いているときには、亡き友人がそこにいると感じることも多かった。

片瀬二郎

どうもごぶさたしてます。昨年からはじめたカクヨムでの短篇公開、現在はホラーを中心に「ひらたい森の怪物」「敵」「窓の女」「宇宙人シゲヲ」を公開中。

いろいろサボってますがべつに三日坊主なわけじゃありません。これからも公開予定（のつもり）ですのでよろしかったらどうぞ。

次のQRコードでアクセスすると読めます。

ツイッター（現X）で「@CutNeed」を検索していただければ更新情報を発信してる（はず）なので、そちらもよろしくお願いします。

https://kakuyomu.jp/users/kts2r

神林長平

　昨年はチャットGPTをきっかけにして生成AIが話題になったが、ぼくもそれについてはいろいろ思うところがあった。

　それをエッセイにして毎日新聞に寄稿したのだが、そこで考えたことをもっと進めて、今年は、いわば次世代型AIをSFの想像力で生み出したいものだと思っている。

　しかし、野良コンピュータが勝手に生きている世界や、リビドーを解放するAIといった話はすでに何十年も前に書いたので、これを超えるアイデアを思いつくのは難しい。AIがほんとうにそのようになるなどとはだれも本気では思わないだろうという、想像を絶する物語を書きたいが、未来予測が目的ではないので面白い話になればそれでよい。

　いずれにせよ、いったいどこからこんな話を思いついたのだと感じさせる、そういうものを今年は書きたい。それは今年に限らず、いつも思っていることではあるのだが。

北野勇作

　この何年間かずっとそうであったように、今年もあいかわらずツイッター（X）で【ほぼ百字小説】を続けるつもり。これが出る頃には、五千篇を越えてるかな。でもまあ、まだ半分、というところですね。昨年出した【百字劇場】三冊『ありふれた金庫』『納戸のスナイパー』『ねこラジオ』（ネコノス）に続けて、「天使」と「亀」を中心にまとめたものを出したいと思ってます。まあ私が思ってるだけで出せるかどうかはわかりません。児童書の『ちょっとこわいメモ』（福音館書店）の続篇も。それから、二月二十九日に天満天神繁盛亭で、私の書いた落語を桂九雀さんがやってくれます。ネタ卸し、つまりこのネタが演じられるのはこれが初めて。うまくいったらおなぐさみ。あとは去年に引き続いて、朗読とか演劇の舞台もやっていきたいです。詳しくは、こちら（https://twitter.com/kitanoyu100）で発信してます。

九岡　望

　なんとか生きてます。定期的な生存報告（？）をこちらでさせていただく形となっており、大変ありがたく思っています。前年は『テクノロイドユニゾンハート』などゲームのシナリオに重点を置いて活動していましたが、密かに進めていた小説の企画があれこれ（だいぶ同時多発的に）動き出しており、ぼちぼち文章の形でも皆様のお目にかかることができそうです。

　小説＆MV等の複合企画『プラントピア』、電撃文庫さんより完結篇が出ます。他にもあれこれ執筆中です。用意してるものとしては、
・一九三〇年代のサイバーパンク
・ディストピア日本の禁酒法コメディ
とかです。それと、ぼんやり「猫がいっぱい出るSFを書きたいなぁ」「ファンタジーものも書きたいなぁ」という気持ちもあります。

　あとはずっと『アーマードコア6』で超カッコいいロボを作ってます。俺の愛機、最高なんだワ……。

日下三蔵

昨年は夏に脳梗塞で入院しましたが、現在は、ほぼ以前の日常に復帰できております。そのせいもあって、あまり新刊の出せない一年になってしまいました。

その中では、ちくま文庫〈山川方夫ショートショート集成〉（全2巻）と盛林堂ミステリアス文庫『渡辺啓助ジュヴナイル作品集　黒い獣』にSFが多く含まれていて、本誌の読者にもお勧めです。

竹書房文庫〈日本SF傑作シリーズ〉と〈異色短篇傑作シリーズ〉は、それぞれ続刊を準備してはいるのですが、製作原価の高騰と部数の低下のダブルパンチで、なかなか企画が通らないのが現状です。今年は眉村卓さんの単行本未収録作品集を、なんとか形にしたいところ。

早川の筒井康隆さんエッセイ集と創元の古典SFアンソロジー企画は、それぞれの担当さんがゲラを出してくれないことには何も出来ません。私が死ぬ前に刊行してもらえるように祈るばかりです。

それはともかく、今年も頑張りますので、応援よろしくお願いいたします！

草野原々

まだ企画書を出してはいないのだが。小説の妄想をここに書いておこう。異なる思想を持った四人の人物が出てくる。

①主人公の作家。鬱病気味で、認知行動療法により気分を盛り上げようとする。②虚無主義者。反出生主義や人生の無意味さを説く。③グノーシス主義とロシア宇宙主義が好きなギャル。④加速主義者でシンギュタリアンのコンサルタント。この四人の肉体がマッドサイエンティストによって結合される。結合人間となった四人は宇宙の彼方へとワープさせられ、エイリアンと対峙する。「人生の意味の哲学」を援用した教養主義冒険小説になる予定だ。はたして、結合人間はどう生きるか？　どうぞご期待ください。

アイデアだけでも楽しいものなので、ぜひとも完成させて刊行したいところだ。他にも、水面下で進行している企画や、眠っている原稿が世に出るかもしれないし、出ないかもしれない。まだだれにもわからない。応援をよろしく頼む。君たちが頼りだ！

倉田タカシ

いつもなに読んでるの、と休み時間に声をかけられたので、読んでいたメディアを見せようとしたら、メディアが急に恥ずかしがって、黒いタール状の多層体に変形し、そわそわと各層をずらしながら五百ミリ秒後の不確定領域に実存のメインフレームを隠そうとした、その致命的な判断の誤りによって、さいたま市見沼区がちょっとだけ沼に戻りました。実家に近いあたりなんですけど、むかし底なし沼だったらしいんです。沼へおいで。沼はいいよ。たくさんの河童が手招きしていたのだといいます。そんな河童たちも泥に浸かるのは嫌がったのだそうで、いつもなにを読んでいるのかというご質問でしたね。読もうとするとメディアがひどく恥ずかしがって、情報をどんどん熱に変換してしまうものですから、冬でもちょっと暑いくらいなのです。そろそろ泥へ戻ってもよろしゅうございますか。れんこんを枕にするとよく眠れます。根菜をたくさん食べましょう。

黒石迩守

今年は、まずコンスタントに執筆できるような環境と習慣を作っていきたいと思います。

どうやら自分は詳細なプロットを作成すると視野狭窄に自縄自縛となるタイプなのでは？　と最近思い始めたので、今まで模索していた作業方法を変えてみようと思っているところです。

いまは短篇と長篇をそれぞれ準備しており、何かしら発表できるところまで持っていければいいなと思います。

一応、まだ『小説家になろう』のほうでも、たまに作品を投稿していますので、興味のある方は覗いてみてください。

五代ゆう

今年も引きつづきグインを頑張っていきたいと思います。話が複雑になってきてなかなか原稿が進まないのが悩みの種ですが、なんとか一年に二冊か三冊を目指して精進したいです。

オリジナルも書きたい気持ちはあるのですがグインに力をとられてしまってなかなか進まず……こちらのほうもできれば進めていきたいです。

塩崎ツトム

今年の映画で楽しみなのは『デューン砂の惑星　ＰＡＲＴ２』ですが、一番は日本公開が決定した『オッペンハイマー』ですねえ。

さて、以下は私事ですが、前年はひとまず長篇と短篇をそれぞれ一つずつ書きました。長篇はともかく、短篇の方は自信作なので、何かの機会で読者の皆さんにお読み頂ければと願っております。

今年はひとまず、アンソロジー用の短篇のお話を頂いています。この原稿を書いている時点（一月二日）ではまだ着手できてませんので、さっさと書きます。一応プロットまでは出来てます。

さらに個人的願望ですが、二冊目の本も出せるように頑張りたいです。ここで書くのもアレかもしれませんが、企画のお話がありましたらご連絡くださいますようお願いします。兼業作家なので多作は少し難しいですが（婉曲表現）、なんとかなるんじゃないでしょうか。

まあ特に注文がなくても、自分は何か書いているでしょう。

柴田勝家

昨年中の個人的なニュースといえば「走馬灯のセトリは考えておいて」が『世にも奇妙な物語』で実写化されたことで、これは非常に良きドラマとして作ってもらえたこと光栄至極。ありがたや、ありがたや。

その他に伝えることといえば、ちょうど一月から始まったアニメ『メタリックルージュ』に参加していることなど。ワシは文化考証という立場でアニメに参加しているものの、実は物語本篇にも関わっていたのでスピンオフ小説を担当することになりました。こちらは〈小説現代〉で不定期連載中ゆえ、機会あらばお手に取って見ていただきたいところ。

今年の予定としては、いくつか作品を出せると思います。ただし、早川書房で長篇準備中というのは毎年必ず言うことにしようと思います。いや、今年こそ……。

とにもかくにも今年の年末でデビュー十年になるはずです。浮き沈みなくここまで来れたことに感謝しつつ、次の十年を見据えて生きていきます。

斜線堂有紀

この原稿を書いている現在、私は日本SF大賞の結果待ちをしているので、出来れば候補となっている『回樹』で受賞して最高の二〇二四年の幕を開けたい。連載を落としたり、〆切に遅れないようにしたい。書き下ろし長篇を出す。あとは、ありとあらゆる賞の候補になり、任意の数の賞を獲りたい。それに付随して早川書房からありとあらゆる仕事を受けたいと思う。元気に健康に過ごしたい。SFの長篇も書いてみたい。あとはメディアミックスの話が両手の指で数え切れないほどくるだろう。両手の指で数え切れないくらいメディアミックスがポシャっているので、きっと二〇二四年は何かしらの話がくるだろう。そろそろきてくれないと困る。毎日ストレッチをする。寝る前にお粥を炊いて朝に食べる習慣をつける。季節問わず加湿器を付けて眠る。ありとあらゆるアンソロジーに呼ばれる。二〇二四年も小説家でいる。あなたに観測してもらえる私でいる。

十三不塔

二〇二四年は激動の一年になりそう。揺れ動く外界へ無関心・不感症にならないでいながら、それらに振り回されない心の落ち着きをキープしていきたいものです。今年の予定としましては中央公論新社より出る一冊と、《anon press》の東京サイバーパンクもの、どちらもアンソロジーの末席に加えて頂いております。春頃にヴァンテージApps株式会社から、シナリオを担当した『泡沫の青』というホラーノベルゲームが発売されます。また五月には三十人もの書き手を集めたジャンルレスな作品集『小説紊乱』がffeen pubより出ます。さらに毒をテーマにした同人誌が信じられないほど豪華メンバーで鋭意調合中ですのでキッズはお年玉で、シニアはへそくりでご購入ください。このコーナーで所信表明したことは実現率が高いというわけで今年は単著を出したいと声を大にして言っておきます。出したい！

菅浩江

昨年は、近年稀な不調の年でした。

仕事のトラブルもありましたが、主に精神面の落ち込みです。現在進行形。原因は判っているけど逃れようがないものなので、上手に気晴らしして立て直したいと思います。

嬉しかったのは、なんといってもハヤカワSFコンテストの選考委員をさせていただいたことです。憧れの早川書房、しかも新人発掘の重大な責務。自分なりの価値観を表明し、ほかの選考委員の意見からの学びも活かし、素晴らしい才能を見つけていけるよう、精進します。

配信サイト「シラス」での活動も継続。主に創作講座で、ポリシーは「書く前に考える」。執筆に長大な時間を使うのだから、事前によく練って筆を執ろうと呼びかけ、視聴者のかたがたに支えられつつ、ご好評をいただいています。もう少し月会員が増えると嬉しいので、ぜひ一度ご覧ください。配信をしているときや人と会っているときは、気分が昂揚して楽しく過ごせます。元気出す！

高島雄哉

SF考証として参加していますアニメ『SYNDUALITY Noir』は新年一月から二期が放送。そしてスピンオフ長篇小説『はじまりの青シンデュアリティ：ルーツ』が三月刊行予定。〈気象SF＋青春SF〉として執筆中。お楽しみに！『小説　機動戦士ガンダム　水星の魔女』ガンエー連載中、単行本四巻出ます。

今春、日本テレビにて放送されます、『ザ・ファブル』ではシリーズ構成と脚本を担当。ぜひごらんください――

最近は脚本家＋SF考証の仕事を多くいただいています。SF考証お仕事SF『いであとぴこまむ』、乞うご期待です。『ゼーガペイン』のスピンオフ長篇小説『ホロニック：ガール』は最先端〈量子SF〉として今夏に。第1回AIのべりすと文学賞受賞作『798ゴーストオークション（仮）』の刊行も進行中です。

SF／SF小説が世界的に求められていると強く感じます。あらためて、SFに向き合う一年にしていければと思います。今年もよろしくお願いします！

高野史緒

以前から出る出る云うてまだ出なかった「白鳥の騎士」英国版*Swan Knight*ですが、今年の四月末にスコットランドのLuna Press Publishing より刊行されます。佳嶋さんのイラストを使用した大変素晴らしい表紙もできあがりました。グラスゴーのワールドコンでも販売されます。っていうか普通にAmazonで買えます。どうかよろしくお願いいたします。

あと、同じく四月予定ですが、連作短篇集『ダブルクリップの旅、あるいは本についての五つの物語（仮）』が講談社から出ます。原稿をとめるダブルクリップは著者も出版社も使い回すので、いろんな書き手のもとを巡ります。さて、そのダブルクリップが見る世界は……？

去年夫を亡くして以来、ただでさえ遅い執筆速度がさらに落ちて事象の地平すれすれのところまで来てしまっています。低速執筆でも努力いたしますので、どうかいつも通り、生暖かく見守っていただければ幸いです。

高山羽根子

年始からあらゆる場所にお見舞いを申し上げておりますが、一刻も早く全てがなんとかなることをお祈りしています。私などのできることはめちゃくちゃわずかですが。

祈りついでですが、長い小説が書けるようになりたいです。いろんな生きもの（なんなら生きていないもの）の語りで書けるようになりたいです。あと学校で一年授業を持ちます。怖ろしい。グラスゴーのSF大会行きたいです。新しく来た犬は一日三回の散歩が必要なので、体力をつけたいです。あとアイマスク型のホカロンみたいなやつをずっと「めぐりズム」という商品だと思っててココカラファインでも店員さんに「めぐりズムどこですか」ってきいてたんですが、肩とかお腹に貼るのもめぐりズムというシリーズ名らしいって知ってショックを受けました。セール時のコクミンが一番安いと思います。みなさんと共に生きのびたいです。

竹田人造

お世話になっております。竹田人造と申します。二〇二三年は個人的には激動の年だったのですが、表向きは短篇をいくつかという感じでほぼ無風でした。今年こそなにがしか出力があるといいなと思っています。

とりあえず四月に『AI法廷のハッカー弁護士』の文庫版が出ます。タイトルちょっと変えるかも知れませんが、相変わらず面白いのでぜひ。

今年の目標は文章を並レベルに書けるようになることです。いやホントに苦手なんですよ文章が。原因は世界への解像度不足なんです。ぼーっと生きて多分五感に入る情報を殆ど省略してしまってて、脳内に保持できている世界が粗いんだと思います。実は私は常々知性とは省略であり低次元化であると主張していまして、三次元に生きる者として高次元知性を軽く下に見ている節すらあったのですが、今思うと省略し過ぎ脳のコンプレックスの裏返しだったのかも知れません。ではまた。

巽 孝之

昨年予告したジョン・クリーヴズ・シムズの地球空洞説小説『シムゾニア』（原著一八二〇年）は、版元の国書刊行会より急遽、先行して出さねばならない監訳書の仕事が入ったため延期になった。その緊急出版というのは、ボストン大学歴史学教授ブルース・J・シュルマンが二〇〇一年に刊行した名著『アメリカ70年代』。本欄がお目に触れるころには、もう店頭に出ているだろう。時代研究としても地政学的研究としても緻密な分析が冴え渡る本書は、七〇年代SFの文化史的背景を知るには絶好の一冊。

なお、シュルマンも出演したNHKBS『世界サブカルチャー史』の三月九日の回には、筆者自身が出演することに。

今年度中にはもうひとつ、こちらは真正面からSF批評の未来を問う本が刊行される。昨年、第四十三回日本SF大賞を受賞された荒巻義雄氏との共編で、鋭意編集中。

はてさてどんな内容になるか、どうぞお楽しみに！

谷口裕貴

まずは去年からの懸案「明石焼き食べまくりツアー」を実現させたい。とにかく東北、北関東には縁がないので、ほうとうとかせんべい汁、芋汁っておいしいのか確かめてみたい。『孤独のグルメ』では「かに面」が記憶に新しい。甲羅に身とか内子外子を詰めて魚のすり身で蓋をし、おでん種としたものでかにの旨味の小宇宙らしい。ぜひ食べたい。かつお茶漬けって知ってる？　那智勝浦の名物で、鰹の刺身にごまだれをまぶし、茶漬けにしたもの。これが旨いらしい。黒潮の恵みだって。地元なのに知らなかった。猛省しつつ、行って食べたい。鹿児島あたりの南九州では、スーパーで刺身と書いて鳥刺しが売ってるんですって。厳格な衛生レベルで処理しているから安全だそうな。食べてみたい。

二〇二四年に食べたいものでした。

あ、いま書いてる長篇スペオペ、今年じゅうに書き上げたいです。

津久井五月

昨年はアンソロジーなどでの短篇執筆に加えて、二十世紀の建築家を取り上げた短篇のウェブ連載をしたり、建築家（磯崎新）や科学技術（量子コンピュータ）に関するノンフィクション記事を書いたりと、「いろいろ試してみよう」という感じの年でした。特にノンフィクションについては、取材や資料収集を通じて事実を自分なりに構造化していくことに手応えも覚えました。

が、やはり事実から数歩、一歩、半歩だけでも踏み出して、より自由自在に、より個人的な「真実」めいたことを書きたい——という気持ちも高まってきました。要するに、もっと小説が書きたいということなんだと思います。二〇二四年は中篇や長篇の企画・構想もぐんぐん進めていく所存です。

とりあえずは、春ごろに向けてＳＦ短篇を二作と中篇を一作書いています。一月には三年住んだ埼玉から東京に引っ越すので、新環境で頑張ります！

飛 浩隆

四十余年に及ぶ勤め人生活も本年三月に大団円を迎える予定でして、その後は無職（これが主体です）のかたわら物書き仕事もする体制となります。時間の余裕は増えるはずですが、並行して老化も進んでますから生産枚数はなかなか上向かないかと。

今年はいよいよ「空の園丁」連載を大詰めに向けて上げていくのを中心としつつ、中篇か短篇の新作も発表できればという気持ちです。うちひとつは『零號琴』の前日譚。それが書き上がれば本にまとめられるかも。その他に短篇集の予定もあるんですけど、版元からの連絡がぱたっと無くなったので、どうなっているかそのうち聞いときますね。

それでは皆さん今年も（世界がどうなるか気をもみつつ）よろしくお願いします。

西島伝法

昨年は九月に『るん（笑）』、十月に『金星の蟲』（『オクトローグ』改題）と二冊の文庫が出て、十二月には宿願だった長篇『奏で手のヌフレツン』の刊行をようやく果たせた。『ＳＦが読みたい！』では何度か告知欄や当コーナーに現れたり消えたりしていたが、依頼されたのは二〇一四年。いまなら無謀だったとわかるが、最初は『宿借りの星』と並行して書いていた。結局『宿借りの星』の方を先行させることとなり、その後も他の作品集の刊行などで何度も中断しつつ進めていた。十年も待ってくれた河出書房新社の担当氏には感謝しかない。

しばらく抜け殻状態だったが、いまは某トリビュートアンソロジーのための短篇を書いている。それが終われば、新たな構想に取り組みたい。三月末には、昨年末に収録した近藤ようこさんとの対談が配信される予定。〈ＳＦマガジン〉の連載「幻視百景」も続きます。

長山靖生

〈ＳＦマガジン〉連載中の「ＳＦのある文学誌」では、時々マンガ篇を交えつつ、今年は主に夢野久作を取り上げたいのですが、始めたら二、三年かかる仕事になるでしょう。

単行本では、『ＳＦ少女マンガの冒険』を筑摩書房より三月に刊行。萩尾望都、山田ミネコ、山岸凉子、大島弓子、竹宮恵子、佐藤史生、水樹和佳、日渡早紀、樹なつみ、坂田靖子、川原泉、岡田史子、内田善美、高野文子ら七〇年代、八〇年のＳＦ少女マンガ黄金期を築いた人たちを中心に現在までの発展史と作品を概観、はっきりいってオタク全開で書きました。ＳＦマンガについては、男性作家篇も書きたいし、二一世紀に入ってからの作品を中心に現代社会の問題を絡めて論じてみたいとも思っています。

小鳥遊書房でのアンソロジー・シリーズは昨年十二月に『処方秘箋　泉鏡花幻妖美譚傑作集』を刊行。今年は森鷗外、久生十蘭、室生犀星などに挑戦できたらと考えています。

仁木稔

昨年も一昨年に引き続き、病気の合間を縫って書く一年でした。それでも「書く」の比重を増やすことができたので、今年はさらに増やしたいですね。

それにしても、自分には一人称小説が向いていないことが骨身に沁みて理解できた一年でした。

人間六度

リスト（2024/01/12）

一月十四日　福祉兵器３０９　小説すばる二月号掲載

一月二十五日　トンデモワンダーズテラ篇／カラス篇

三月未明　スター・シェイカー文庫化

五月十九日　ＳＦ同人誌『毒についての話』

春頃予定　集英社短篇集

夏頃予定　ハンドレッドハンドルズハンドリングザ・ワールド２巻

夏頃予定　ハヤカワ新作長篇

冬頃予定　小説すばる長篇連載準備

がんばります。

ラジオとかテレビ系の仕事やりたいので、そういう話待ってます。

野崎まど

地質年代	先カンブリア時代	古生代	中生代	新生代	現代
	5.4億年前	2.5億年前	6600万年前	2024年	
文章の変遷	地球の歴史で最初に誕生した野崎まど。光合成で文字を作り出していたと考えられる。 へ　ヨ　ミ　の	脊椎を獲得した野崎まど。文字の連なりが見え始める。 お-い-し-い	大型の野崎まどの繁栄。字が大きい。 弱肉強食	哺乳する野崎まどの興隆。全身が体毛に覆われている。 美しい光	二〇二四年の野崎まど。自然な言語を用いて今年の予定などを正確に書くことができる。 今年は春～夏頃にかけて講談

法月綸太郎

二〇二三年は個人的に坂口安吾を振り返る年でした。光文社〈ジャーロ〉で連載している新保博久氏との往復書簡「死体置場で待ち合わせ」で未完の犯人当て長篇『復員殺人事件』の非公式解答篇を議論し、文学ムック『ことばと Vol.7』（書肆侃侃房）に「風博士」のパスティーシュ「颪博士」を寄稿。「カレー百人前出前事件」の真相について考察した後者は、広義の言語ＳＦと言えなくも……いや、さすがにそれは無理か。

本業のミステリの方は相変わらずの低空飛行ですが、二〇二四年一月にはＭＲＣ（メフィストリーダーズクラブ）発の挑戦状アンソロジー『推理の時間です』（講談社）が発売されているはずです。法月の他、方丈貴恵（Ｗｈｏ？）、我孫子武丸・田中啓文（Ｗｈｙ？）、北山猛邦・伊吹亜門（Ｈｏｗ？）の各氏が硬軟取り揃えた問題篇で読者に挑む謎解きパズラー六連発。ガチの本格ファンだけでなく、ＳＦ読者にも見逃せない顔ぶれだと思いますので、ぜひご一読を。

長谷敏司

昨年は、『プロトコル・オブ・ヒューマニティ』が星雲賞と『SFが読みたい!』国内篇2位をいただいたりと、うれしい一年でした。本当にありがとうございます。ただ、単著が出ない年になってしまったので、今年は頑張りたいです。

遅れていました早川書房さんの短篇集は、ようやく完成させることができそうです。あと、スニーカー文庫さんで、ひさしぶりにライトノベルが出るかもしれません。ガガガ文庫さんの『ストライクフォール』は難航中です。自分も大きな影響を受けているコンテンツの六十周年記念アンソロジーに、短篇を書かせていただくことにもなっています。

もうひとつ、中篇のつもりで始めたら爆発するように長篇に膨らんだ原稿が手元にあって、確かな手応えを感じています。年始時点ではこの作品については何も決まっていません。決まりましたら、また別のかたちで報告します!

今年もよろしくお願いします。

葉月十夏

常識は時代や場所により異なる。それが現在の常識だと思いますが、東京国立博物館には驚かせられました。昨夏の特別展『古代メキシコ』が、なんと撮影OKだったのです。え、そんなの今時常識でしょ、と呆れた声も聞こえてきそうですが、まったく知りませんでした。常設展も同様で、遮光器土偶の背中や横面を撮影できました。感激のひと言。外国の方は日本刀や鎧に盛んにスマホを向けていました。図説も展示品のカタログではなく、読み物豊富な歴史資料本に変貌していてびっくりするやら嬉しいやら。こんな変化は歓迎ですが、食材の旬や花の開花時期の常識が変わるのは勘弁してほしい。ちなみに近くのバス停脇では現在、ススキ、セイタカアワダチソウ、ラベンダーが花盛りです。

さて、物語です。長篇は編集部に預けてありますが、短篇にも挑戦したいです。

どうぞよろしくお願いします。

林 譲治

二〇二四年の仕事としてはまず早川書房の《知能侵蝕》シリーズがあります。異星人が地球にやってくるという未曾有の事態に、日本は少子高齢化と就職氷河期世代の問題を積み残した結果、極度の人材不足の状況で対応しなければならないという内容です。それでも責任ある立場の人は逃げずに問題に向かい合ってゆく。小説とはいえ、主人公らにあれもこれもとタスクを負わせる自分が人非人に思えてきます。でも、まぁ、働かせるんですけどね。

これ以外では春頃に光文社より『YT』というミステリーものが刊行予定です。イニシャルYTの人だけが殺されてゆくという内容です。その他いろいろ。

ただ、夢の二十一世紀だったはずの世界では、戦争もさることながら、それに市民が巻き込まれ、あるいは虐殺されるという十九世紀的現実がある。そこは意識せざるを得ない。

春暮康一

三年ぶりに一時帰国できました。しかも二回も。日本の食事おいしいです。

二〇二三年はデビュー作を改稿・中篇追加した『オーラリメイカー〔完全版〕』を刊行できました。用語集と作品ノートも追加できたので満足です。ただ、それ以外には短篇一本も出せず。なぜかというと、去年もここに書いた長篇執筆のほうにほぼ全時間を割いていたからです。なんともう一年以上書いている模様。今年には出せるはずです。

私の場合、長篇をずっと書いていると、短篇・中篇を書きたい熱が高まってくることを発見しました（その逆はないのに）。あと一、二本書けば次の短篇集を出せそうな気がしますが、そちらはもう少し先になると思います。

また、日本SF作家クラブ・早川書房アンソロジーの第四弾に参加させていただく予定です。テーマ先行のアンソロジーは普段使わない脳を使っている感じがして楽しいですね。

本年もよろしくお願いいたします。

樋口恭介

生成AIのせいで労働密度が五倍くらいになってます！　助けてください！　AIに仕事がちゃんと奪われたら長篇再開します。

久永実木彦

新年のはじまりに大きな災害がありました。亡くなられた方々へ深く哀悼の意を表するとともに、いまも困難のなかにある方々へ心よりお見舞い申し上げます。

読者のみなさんのおかげで『わたしたちの怪獣』を日本SF大賞の最終候補に選んでいただくことができました。三年連続の最終候補選出、ありがとうございます。この文章を書いている時点で大賞は決まっていませんが、結果はどうあれ、いつだって最高傑作は次回作というこころざしでやっていきたいものです。今年、驚異の進捗を見せる実木彦ACT4にご期待ください。チュミミ〜ン。

というわけで、今後の予定です。内容は秘密ですが長篇を書いております。たぶん遠からずお知らせできるのではないかと思います。また、このページで定期的にお知らせしている、魔法使いがクラシックなアメリカ車に乗って日本を縦断するファンタジー長篇も、今年じゅうにはなんとかしたいところです。

藤井太洋

大変お待たせしている『マン・カインド』を、なんとか、必ず、早めに皆様にお届けいたします。

作品の前提となっていた戦争の倫理が変わり、事実確認プラットフォームというアイディアも、生成ＡＩの登場で変更を余儀なくされてしまったためですが、作品はより力強く生まれ変わります。どうぞよろしくお願いします。

東京創元社からは、英語や中国語、韓国語で先に発表している作品を多く集めた短篇集の刊行も予定されています。いつもとは少し違う雰囲気の作品をお届けできるかと思います。

そして今年は、どこかで（まだ決めてません）、宇宙を舞台にした作品を書き始めたいなと思っています。どうぞよろしくお願いします。

牧野 修

昨年はとうとうコロナに罹ってしまったのでした。というわけで、おそらく、今年こそは警察小説が出せるはずですよ。なんか毎年言ってるけど。それからこれも昨年から考えていた魔女の出てくる近未来小説なんだけど、偽昭和時代を舞台にした方が面白そうだなと思って考え直しています。並行世界みたいなものなら幻代史があるわけですが、現実の裏で進行していたあなたの知らない昭和秘史みたいにして、でたらめな昭和時代を描けたらなと思っているのですよ。

それから、これは小説でも何でもないんだけれど、デアゴスティーニみたいに、購入すると毎月忌まわしいアイテム（モキュメントスタイルで写真や手紙、捜査資料等の物証のようなもの）が届いて数年後に一つの呪われたホラー作品が完成する、っていうアイデアをどうしたら現実化できるでしょうか。

松崎有理

今年のなかばごろに短篇集が出ます。原稿はほぼできあがっているのであとはまとめるだけです。それと、もうひとつ短篇集の企画が進行中。こちらは来年出版が目標。なかなかおもしろいテーマで、構成をどうしてやろうかとわくわくしながらアイデアを出しているいちばん楽しい段階です。

そのほか、プロットや設定だけ書いた長篇や短篇の種がいろいろあります。機会がありしだい作品化できたらなと思っています。加速器に転生した山手線の話の続篇とか。

コロナのせいですっかり旅行から遠ざかっていたのでこれからは積極的に外へ出ます。旅はインスピレーションの源ですから。去年は念願のウズベキスタンへ行けました。今年はペルーが目標です。

これもコロナのせいでお気に入りのドーナツショップが日本から撤退してしまいました。今年こそかわりをみつけたいなあ。ドーナツをテーマにＳＦを一本書こうと構想中でもあります。

宮内悠介

昨年は『ラウリ・クースクを探して』という長篇を刊行したほか、短篇やエッセイ、書評、麻雀などなど、こまごましたことをしておりました。あとウクライナに行きました。ウクライナ行の紀行文は、〈潮〉誌の二月号と三月号に前後篇にわけて掲載される予定です。

直近では、『国歌を作った男』という短篇集が講談社より刊行予定。ほか、あれこれと作戦を練ってはいますが、諸事情あり、いろいろなことが未知数です。

元旦から震災というとんでもない年になってしまいましたが、ともあれ、本年もどうぞよろしくお願いいたします。

宮澤伊織

『ときときチャンネル　宇宙飲んでみた』でベストSF国内篇3位をいただきまして、ありがとうございました。この欄でずっと復刊すると言っていた『ウは宇宙ヤバイのウ!』も〔新版〕として復刊していただきまして、こちらも23位とのこと、重ねてありがとうございます。両方ともご好評で、心底ほっとしています。

今年はまず春にハヤカワJAから『裏世界ピクニック』の九巻を出します。『ウは宇宙ヤバイのウ!』の二巻も出したいので、よろしくお願いします。

東京創元社からは『ときときチャンネル』の続きも順次発表していくつもりですが、一冊にまとまるのはもう少し後でしょうか。

それから今年は、宇宙ヤバイで素敵なイラストを描いていただいた今井哲也さんと一緒にマンガをやらせていただくことになっています。どうぞお楽しみに。

自宅では積みプラモが留まることなく増え続けており、怖いです。

六冬和生

ただ今長篇執筆中です。

こいつがへそ曲がりのうえお調子者なので、つきあうこっちの身にもなってみろと思いつつ、バカな子ほど可愛いとでもいいますか、伸び伸び伸び育ってくれたらといったところです。

矢野アロウ

第十一回ハヤカワＳＦコンテストで大賞を受賞しました、矢野アロウです。最近の私は、モノリス型トロフィーが映える最良の設置場所を探して、家をうろうろする日々を送っております。拙著『ホライズン・ゲート　事象の狩人』発売中です。よろしくお願いいたします。

直近の予定としましては、五月に刊行される日本ＳＦ作家クラブアンソロジーに参加させていただくことになっており、現在その執筆にとりかかっているところです。砂漠を舞台にした、エネルギー問題＋民族多様性＋超自然科学的なノワール風味のストーリーになる予定。

その先のことはまだ何も決まっておりませんが、先輩作家さんには、たくさん短篇を書けばそれだけ力がつくとアドバイスをいただきました。戦争や自然災害など大変な状況が続きますが、自分が書く小説が少しでも世の中を元気づけられると信じ、二〇二四年は、ほぼ作家スタートの年となる一年にしたいと思っております。書くことに真摯に向き合う一年にしたいと思っております。

The Medium
女神の継承
21年タイ・韓国■監督バンジョン・ピサンタナクーン■出演ナリルヤ・グルモンコルペチ■7/29公開■3/3[R][D]■Happinet ￥3,900

MONDAYS／このタイムループ、上司に気づかせないと終わらない
22年日本■監督竹林亮■出演円井わん■10/28公開■5/3[R]4/28[D]■マグザムDVD ￥4,730、BD通常版￥5,830、BD豪華版￥7,920

Crabs!
キラーカブトガニ
21年アメリカ■監督ピアース・ベロルゼイマー■出演カート・カーリー■1/20公開■5/3[R]5/1[D]■ニューセレクト￥3,800

Battle for Pandora
PANDORA パンドラ エネミー・イン・ウォーター
22年アメリカ■監督 ノア・ルーク■出演トム・サイズモア■劇場未公開■5/3[R]5/1[D]■ニューセレクト￥4,800

I guerrieri dell'anno 2072
未来帝国ローマ
84年イタリア■監督ルチオ・フルチ■出演ジャレッド・マーティン■劇場未公開■未定[R]5/3[D]■アムモ98 ￥5,200

TWICE-TOLD TALES
恐怖の夜
63年アメリカ■監督シドニー・サルコウ■出演ヴィンセント・プライス■劇場未公開■6/23[D]■フォワード￥1,980

The Green Knight
グリーン・ナイト
21年アメリカ■監督デヴィッド・ロウリー■出演デヴ・パテル■11/25公開■7/5[R][D]■TCエンタテインメント BD ￥6,270、DVD ￥4,620

Silent Night
サイレント・ナイト
21年イギリス■監督カミラ・グリフィン■出演キーラ・ナイトレイ■11/18公開■7/5[R][D]■ハピネット・メディアマーケティング￥4,000

THE CURSED: DEAD MAN'S PREY
呪呪呪/死者をあやつるもの
21年韓国■監督キム・ヨンワン■出演オム・ジウォン、チョン・ジソ■2/10公開■7/5[R][D]■ハピネット・メディアマーケティング￥5,000

突撃！隣のUFO
23年日本■監督河崎実■出演ヨネスケ■2/23公開■8/31[D]■有限会社リバートップ￥4,400

Brahmastra Part One: Shiva
ブラフマーストラ
22年インド■監督アヤーン・ムカルジー■出演ランビール・カプール■5/12公開■9/6[R][D]■ツイン￥4,378

THE LAIR
ヘル・ディセント
22年イギリス■監督ニール・マーシャル■出演シャーロット・カーク■8/25公開■9/6[R][D]■TCエンタテインメント￥4,180

Cat Sick Blues
キャット・シック・ブルース
15年オーストラリア■監督デイブ・ジャクソン■出演シーアン・デノヴァン■7/20公開■9/8[R][D]■アムモ98 ￥4,180

忌怪島
23年日本■監督清水崇■出演西畑大吾■6/16公開■10/25[R][D]■販売：東映　発売：東映ビデオ
Blu-ray豪華版：7,370円　DVD豪華版：6,490円
DVD通常版：4,290円

Dr. Black, Mr. Hyde
ブラック博士とハイド氏
76年アメリカ■監督ウィリアム・クレイン■出演バーニー・ケイシー■劇場未公開■10/27[R][D]■株式会社コロメディア￥1,963

2023年度SF関連DVD目録

2022年11月1日～2023年10月31日までに日本国内で発売されたSF、ファンタジイ、ホラー関連のDVD（Blu-ray）の中から、SFマガジン「MEDIA SHOWCASE DVD」で紹介した26作品を記します。

◆記載データは以下のとおり。

◆原題／作品名／製作年・製作国／監督・製作・脚本・原作・出演、他データ／発売日（🅁＝レンタル／🄳＝DVD他ソフト）／発売元（本体価格〔BD＝Blu-ray・D＝DVD）

きさらぎ駅

22年日本■監督永江二朗■出演恒松祐里、本田望結■6/3公開■11/2🅁🄳■Happinet ￥3,900

True Fiction

ザ・フィクション

19年カナダ■監督ブレイデン・クロフト■出演サラ・ガルシア、ジョン・カッシーニ■7/17公開■10/19🅁11/2🄳■アメイジングD.C. ￥4,000

Le Dernier voyage

レッド・グラビティ

20年フランス■監督ロマン・キロット■出演ヒューゴ・ベッカー、ジャン・レノ■7/15公開■10/5🅁11/2🄳■アメイジングD.C. ￥3,800

Parallel

パラレル　多次元世界

18年カナダ■監督イサーク・エスバン■出演アムル・アミーン、マルティン・ヴァルストロム■劇場未公開■11/2🅁🄳■アメイジングD.C. ￥4,000

Contorted

事故物件 歪んだ家

22年韓国■監督カン・ドンホン■出演 ソ・ヨンヒ、キム・ミンジェ、キム・ボミン■11/11公開■1/6🅁🄳■ニューセレクト￥3,800

Mako

Mako 死の沈没船

21年エジプト■監督モハメド・ヘシャム・エル・ラシディ■出演ムラト・イルディリム､、ニコラス・ムアワード■劇場未公開■1/6🅁🄳■アメイジングD.C. ￥4,000

The Deep House

ザ・ディープ・ハウス

21年フランス、ベルギー■監督ジュリアン・モーリー、アレクサンドル・バスティロ■出演ジェームズ・ジャガー、カミーユ・ロウ■9/16公開■1/11🅁🄳■インターフィルム￥3,800

オカルトの森へようこそ THE MOVIE

22年日本■監督白石晃士■出演堀田真、飯島寛騎、筧美和子、宇野祥平■8/27公開■1/13🅁🄳■KADOKAWA ￥3,800

One Second Champion

ワン セカンド チャンピオン

20年香港■監督チウ・シンハン■出演エンディ・ザーウグヲクイン■1/8公開■2/25🅁🄳■ライツキューブ￥2,941

Attack on Titan

TITAN タイタン

22年アメリカ■監督ノア・ルーク■出演マイケル・パレ■劇場未公開■3/3🅁🄳■ニューセレクト￥3,700

Don't Worry Darling

ドント・ウォーリー・ダーリン

22年アメリカ■監督オリビア・ワイルド■出演フローレンス・ピュー■11/11公開■3/3🅁🄳■ワーナー・ブラザース・ホームエンターテイメント￥4,800

マ

ヤ

ラ

ワ

タ

ナ

ハ

書名索引

ナ

ハ

マ

ヤ

ラ

ワ

著者名索引

世界

デイヴィッド・ピーニャ・グズマン（When Animals Dream: The Hidden World of Animal Consciousness，2022）西尾義人＝訳／2023・3・27／2420円／青土社／動物生理学

からだの錯覚　脳と感覚が作り出す不思議な世界

小鷹研理／2023・4・13／1100円／講談社／認知科学

アートの力　美的実在論

マルクス・ガブリエル（Le pouvoir de l'art，2020）大池惣太郎，柿並良佑＝訳／2023・04・28／2420円／堀之内出版／アート論　(23・08)

人間非機械論　サイバネティクスが開く未来

西田洋平／2023・06・12／2255円／講談社選書メチエ／科学論　(23・10)

ロシア・アヴァンギャルド　未完の芸術革命

水野忠夫／2023・06・12／1760円／ちくま学芸文庫／社会学　(23・10)

大規模言語モデルは新たな知能か　ChatGPTが変えた世界

岡野原大輔／2023・6・20／1540円／岩波書店／言語理論

100兆円で何ができる？

ローワン・フーパー（How to Spend a Trillion Dollars: The 10 Global Problems We Can Actually Fix，2021）滝本安里＝訳／2023・7・25／3080円／化学同人／思考実験

気候崩壊後の人類大移動

ガイア・ヴィンス（Nomad Century How to Survive the Climate Upheaval, 2022）小坂恵理＝訳／2023・08・22／2970円／河出書房新社／気候変動　(23・12)

なぜ世界はそう見えるのか　主観と知覚の科学

デニス・プロフィット，ドレイク・ベアー（How our bodies shape our minds，2020）小浜杳＝訳／2023・9・5／3410円／白揚社／認知科学

文学は地球を想像する　エコクリティシズムの挑戦

結城正美／2023・09・20／1056円／岩波新書／環境実践入門書　(23・12)

ChatGPTの先に待っている世界

川村秀憲／2023・10・12／2200円／dZERO／AI論

遺伝と平等　人生の成り行きは変えられる

キャスリン・ペイジ・ハーデン（The Genetic Lottery: Why DNA Matters for Social Equality，2021）青木薫＝訳／2023・10・18／3300円／新潮社／遺伝学

／冒険小説 (23・06)

人類の知らない言葉

エディ・ロブソン（Drunk on All Your Strange New Words，2022）茂木健＝訳／2023・05・11／1540円／創元SF文庫／SFミステリ (23・08)

世界の終わりのためのミステリ

逸木裕／2023・06・28／1540円／星海社／ポストアポカリプス小説 (23・10)

忘却の河（上・下）

蔡駿（生死河，2013）高野優，坂田雪子他＝訳／2023・06・28／各1540円／竹書房文庫／転生ミステリ

人生は小説《ロマン》

ギヨーム・ミュッソ（La vie est un roman，2020）吉田恒雄＝訳／2023・8・21／1100円／集英社文庫／奇想ミステリ

でぃすぺる

今村昌弘／2023・09・21／1980円／文藝春秋／オカルトミステリ (23・12)

轟《ごう》運探偵の超然たる事件簿　探偵全滅館殺人事件

百壁ネロ／2023・10・18／1760円／星海社FICTIONS／特殊設定ミステリ

L LITERATURE　2023年度 SF関連書籍目録

遠きにありて、ウルは遅れるだろう

ペ・スア（멀리 있다 우루는 늦을 것이다，2019）斎藤真理子＝訳／22023・01・21／2200円／白水社／韓国文学 (23・04)

恋の霊　ある気質の描写

トマス・ハーディ（The Well-Beloved，1897）南協子＝訳／2023・02・28／3520円／幻戯書房／恋愛ファンタジー (23・06)

息　一つの決断

トーマス・ベルンハルト（Der Atem，1978）今井敦＝訳／2023・05・16／1870円／松籟社／自伝的小説 (23・08)

昼と夜　絶対の愛

アルフレッド・ジャリ（Les jours et les nuits，1897）佐原怜＝訳／2023・06・26／3300円／幻戯書房／幻想小説 (23・10)

時間への王手《チエツク》

マルセル・ティリー（Échec au Temps，1945）岩本和子＝訳／2023・6・27／1980円／松籟社／タイムトラベルSF

逃げ道

ナオミ・イシグロ（Escape Routes，2020）竹内要江＝訳／2023・09・20／2750円／早川書房／短篇集 (23・12)

ブルーノの問題

アレクサンダル・ヘモン（The Question of Bruno, 2000）柴田元幸、秋草俊一郎＝訳／2023・10・30／2970円／書肆侃侃房／短篇集

ペストの夜

オルハン・パムク（Nights Of Plague，2021）宮下遼＝訳／2022・11・16／2970円／早川書房／歴史改変SF

N NONFICTION　2023年度 SF関連書籍目録

「老いない」動物がヒトの未来を変える

スティーヴン・N・オースタッド（Methuselah's Zoo: What Nature Can Teach Us about Living Longer, Healthier Lives，2022）黒木章人＝訳／2022・12・13／2750円／原書房／老化研究

SFのSは、ステキのS+

池澤春菜／2022・12・21／2310円／早川書房／エッセイ集 (23・04)

笑犬楼vs.偽伯爵

筒井康隆、蓮實重彦／2022・12・21／1650円／新潮社／往復書簡集 (23・06)

相分離生物学の冒険　分子の「あいだ」に生命は宿る

白木賢太郎／2023・02・20／2970円／みすず書房／生物学 (23・08)

憎悪の科学　偏見が暴力に変わるとき

マシュー・ウィリアムズ（The Science of Hate，2021）中里京子＝訳／2023・03・25／3245円／河出書房新社／ヘイト問題研究 (23・06)

動物たちが夢を見るとき　動物意識の秘められた

訳／2023・03・27／2750円／国書刊行会／ゴシックホラー (23・06)

幽霊ホテルからの手紙

蔡駿（幽靈客棧，2004）舩山むつみ＝訳／2023・04・26／2145円／文藝春秋／モダンホラー (23・08)

誰が千姫を殺したか　蛇身探偵豊臣秀頼

田中啓文／2023・05・16／847円／講談社文庫／時代ミステリ (23・08)

きみはサイコロを振らない

新名智／2023・05・18／1815円／KADOKAWA／青春ホラー (23・08)

寝煙草の危険

マリアーナ・エンリケス（Los Peligros De Fumar En La Cama，2009）宮﨑真紀＝訳／2023・05・26／4180円／国書刊行会／スパニッシュホラー短篇集 (23・08)

異能機関（上・下）

スティーヴン・キング（The Institute，2019）白石朗＝訳／2023・06・09／各2970円／文藝春秋 (23・10)

昭和怪談

嶺里俊介／2023・06・21／2420円／光文社／怪談集 (23・10)

6

梨／2023・06・23／1760円／玄光社／ホラー短篇集 (23・10)

一寸先の闇　澤村伊智怪談掌編集

澤村伊智／2023・06・27／1650円／宝島社／ホラー短篇集 (23・10)

彼女はそこにいる

織守きょうや／2023・06・30／1980円／KADOKAWA／幽霊憚 (23・10)

最恐の幽霊屋敷

大島清昭／2023・07・21／2090円／KADOKAWA／怪談小説 (23・10)

ブラッド・クルーズ（上・下）

マッツ・ストランベリ（Blood Cruise，2015）北綾子＝訳／2023・08・17／各1518円／ハヤカワ文庫NV／海洋パニックホラー (23・12)

賢治と妖精琥珀

平谷美樹／2023・08・21／792円／集英社文庫／大正ロマンファンタジィ (23・12)

花怪壇

最東対地／2023・08・23／2200円／光文社／私小説ホラー (23・12)

近畿地方のある場所について

背筋／2023・08・30／1430円／KADOKAWA／実話系怪談 (23・12)

百鬼園事件帖

三上延／2023・09・01／1760円／KADOKAWA／作家論ホラー (23・12)

蜘蛛の牢より落つるもの

原浩／2023・09・26／1980円／KADOKAWA／ホラーミステリ (23・12)

穏やかな死者たち　シャーリイ・ジャクスン・トリビュート

エレン・ダトロウ＝編（When Things Get Dark: Stories Inspired By Shirley Jackson，2021）渡辺庸子、市田泉他＝訳／2023・10・10／1650円／創元推理文庫／短篇集

迷塚《まよいづか》　警視庁異能処理班ミカヅチ

内藤了／2023・10・13／748円／講談社タイガ／警怪異ミステリ

異能捜査員・霧生椋《きりゅうりょう》　緑青館《ろくしょうかん》の密室殺人

三石成／2023・10・18／726円／アルファポリス文庫／異能バディミステリ

涜神館《とくしんかん》殺人事件

手代木正太郎／2023・10・18／1870円／星海社FICTIONS／ゴシックホラーミステリ

バベルの古書　猟奇犯罪プロファイル　Book 1《変　身《メタモルフォーゼ》》

阿泉来堂／2023・10・24／770円／角川ホラー文庫／超自然ミステリ

バベルの古書　猟奇犯罪プロファイル Book 2《怪　物《モンスター》》

阿泉来堂／2023・10・24／770円／角川ホラー文庫／超自然ミステリ

MYSTERY

2023年度
SF関連書籍目録

そして、よみがえる世界。

西式豊／2022・11・16／1980円／早川書房／SFミステリ (23・02)

明智卿死体検分

小森収／2022・12・26／1760円／東京創元社／SFミステリ (23・04)

禁断領域　イックンジュッキの棲む森

美原さつき／2023・03・07／850円／宝島社文庫

武石勝義／2023・06・21／1870円／新潮社／中華ファンタジイ (23・10)

幽霊城の魔導士

佐藤さくら／2023・07・10／1100円／創元推理文庫／学園ファンタジイ (23・10)

海神《わだつみ》の娘

白川紺子／2023・07・14／792円／講談社タイガ／ファンタジイ連作集 (23・12)

ネバーブルーの伝説

日向理恵子／2023・07・21／1870円／KADOKAWA／冒険ファンタジイ (23・12)

天の雫　鳳の木

喜咲冬子／2023・08・03／836円／ポプラ文庫／和風ファンタジイ (23・12)

最後の三角形　ジェフリー・フォード短篇傑作選

ジェフリー・フォード（The Last Triangleand Other Stories）谷垣暁美＝訳／2023・08・31／3850円／東京創元社／ファンタジイ短篇集 (23・12)

ダ・ヴィンチの翼

上田朔也／2023・09・19／1144円／創元推理文庫／歴史ファンタジイ (23・12)

波の鼓動と風の歌

佐藤さくら／2023・09・20／979円／集英社文庫／冒険ファンタジイ

陰陽師　烏天狗《からすてんぐ》ノ巻

夢枕獏／2023・10・06／1760円／文藝春秋／和風ファンタジイ

騎士団長アルスルと翼の王

鈴森琴／2023・10・10／1210円／創元推理文庫／ファンタジイ小説

レーエンデ国物語　喝采か沈黙か

多崎礼／2023・10・18／2090円／講談社／大河ファンタジイ

HORROR

2023年度
SF関連書籍目録

ばくうどの悪夢

澤村伊智／2022・11・02／2035円／KADOKAWA／グロテスクホラー (23・02)

猿と人間

増田俊也／2022・11・10／1650円／宝島社／パニック小説 (23・02)

骨灰

冲方丁／2022・12・09／1980円／KADOKAWA／実話系会談 (23・04)

踏切の幽霊

高野和明／2022・12・13／1870円／文藝春秋／幽霊憚 (23・04)

ファイナルガール・サポート・グループ

グレイディ・ヘンドリクス（The Final Girl Support Group,2021）入間眞＝訳／2022・11・17／1430円／竹書房文庫／パラレルワールドホラー (23・02)

地羊鬼の孤独

大島清昭／2022・11・24／1980円／光文社／ホラーミステリ (23・02)

みみそぎ

三津田信三／2022・11・25／1870円／KADOKAWA／ホラーミステリ (23・02)

英国クリスマス幽霊譚傑作集

チャールズ・ディケンズ他（A Christmas Tree: and Other Twelve Victorian Ghost Candles）夏来健次＝訳／2022・11・30／1210円／創元推理文庫／怪奇幻想短篇集 (23・02)

ニードレス通りの果ての家

カトリオナ・ウォード（The Last House On Needless Str，2021）中谷友紀子＝訳／2023・01・24／3080円／早川書房／英国幻想ホラー (23・04)

ボーンズ・アンド・オール

カミーユ・デアンジェリス（Bones & All，2022）川野靖子＝訳／2023・01・24／1056円／ハヤカワ文庫NV／カニバリズムホラー (23・04)

ブッカケゾンビ

ジョー・ネッター（Zombie Bukkake，2009）風間賢二／2023・02・02／1320円／扶桑社ミステリー／エログロホラー (23・06)

モンスター・パニック!

マックス・ブルックス（Devolution, 2020）浜野アキオ＝訳／2023・03・08／2860円／文藝春秋／パニック小説 (23・06)

一休どくろ譚　異聞

朝松健／2023・03・26／2200円／行舟文化／時代伝奇ロマン (23・06)

吸血鬼ヴァーニー　或いは血の饗宴

ジェームズ・マルコム・ライマー、トマス・ペケット・プレスト（Varney the Vampire; or the Feast of Blood，1845）三浦玲子、森沢くみ子＝

Graphic Novel Adaptation, 1979）小澤英実／2023・10・26／4180円／フィルムアート社／タイムスリップSF （24・02）

美しき血

ルーシャス・シェパード（Beautiful blood : a novel of the Dragon Griaule, 2014）内田昌之＝訳／2023・10・31／1375円／竹書房文庫／タイムスリップファンタジイ （24・02）

FANTASY

熊と小夜鳴鳥《サヨナキドリ》

キャサリン・アーデン（The Bear and the Nightingale,2017）金原瑞人, 野沢佳織＝訳／2022・11・09／1430円／創元推理文庫／歴史ファンタジイ （23・02）

龍ノ国幻想４　炎《も》ゆ花の楔《くさび》

三川みり／2022・11・28／649円／新潮文庫nex／宮廷陰謀劇 （23・04）

ガリバーのむすこ

マイケル・モーパーゴ（Boy Giant, 2020）杉田七重＝訳／2022・12・14／1650円／小学館／児童文学 （23・04）

ジェイク・ランサムとどくろ王の影（上・下）

ジェームズ・ロリンズ（Jake Ransom and the Skull King's Shadow, 2009）桑田健＝訳／2022・12・15／各1650円／竹書房／冒険ミステリ （23・04）

神々の宴

乾石智子／2023・01・11／946円／創元推理文庫／ファンタジイ短篇集 （23・04）

父から娘への７つのおとぎ話

アマンダ・ブロック（The Lost Storyteller, 2021）吉澤康子＝訳／2023・01・19／2750円／東京創元社／ファンタジイ連作集 （23・04）

不思議カフェNEKOMIMI

村山早紀／2023・01・25／1760円／小学館／SFファンタジイ （23・06）

赤ずきんの森の少女たち

白鷺あおい／2023・02・13／1210円／創元推理文庫／歴史ファンタジイ （23・06）

真夜中のウラノメトリア

神田澪／2023・03・02／1540円／KADOKAWA／ファンタジイ短篇集 （23・06）

ページズ書店の仲間たち１　ティリー・ページズと魔法の図書館

アナ・ジェームス（Pages & Co.: Tilly and the Bookwanderers, 2018）池本尚美＝訳／2023・03・09／1848円／文響社／ビブリオファンタジイ （23・06）

地下図書館の海

エリン・モーゲンスターン（The Starless Sea, 2019）市田泉＝訳／2023・03・13／3740円／東京創元社／ビブリオファンタジイ （23・06）

それを世界と言うんだね　空を落ちて、君と出会う

綾崎隼／2023・03・15／1595円／ポプラ社／童話ファンタジイ （23・06）

クォークビーストの歌

ジャスパー・フォード（The Song of the Quarkbeast, 2012）ないとうふみこ＝訳／2023・03・31／1628円／竹書房文庫／SFファンタジイ （23・08）

最後の語り部

ドナ・バーバ・ヒグエラ（The Last Cuentista, 2021）杉田七重＝訳／2023・04・28／3080円／東京創元社／宇宙SFファンタジイ （23・08）

塔の少女　冬の王２

キャサリン・アーデン（The Girl in the Tower : (Winternight Trilogy), 2018）金原瑞人、野沢佳織＝訳／2023・04・28／1540円／創元推理文庫／歴史ファンタジイ （23・08）

テメレア戦記７　黄金のるつぼ

ナオミ・ノヴィク（Crucible of Gold,2012）那波かおり＝訳／2023・05・12／2530円／静山社／架空歴史ファンタジイ （23・08）

愛されてんだと自覚しな

河野裕／2023・05・25／1870円／文藝春秋／現代ファンタジイ （23・10）

魔術師ペンリックの仮面祭

ロイス・マクマスター・ビジョルド（The Orphans of Raspay, The Physicians of Vilnoc, Masquerade in Lodi, 2019 - 2020）鍛治靖子＝訳／2023・05・30／1760円／創元推理文庫／魔法ファンタジイ （23・10）

レーエンデ国物語

多崎礼／2023・06・14／2145円／講談社／大河ファンタジイ （23・10）

神獣夢望伝

テユ＝訳／2023・06・11／2750円／幻冬舎／ディストピアSF (23・10)

ロボット・アップライジング　AIロボット反乱SF傑作選

D・H・ウィルソン＆J・J・アダムズ＝編（Robot Uprisings, 2014）中原尚哉他＝訳／2023・06・12／1540円／創元SF文庫／AIロボット反乱SF (23・10)

蒸気駆動の男　朝鮮王朝スチームパンク年代記

イ・ソヨン，チョン・ミョンソプ，パク・エジン，キム・イファン，パク・ハル（기기인도로，2021）吉良佳奈江＝訳／2023・06・20／2860円／新☆ハヤカワ・SF・シリーズ／歴史改変SF (23・10)

七月七日

ケン・リュウ，藤井太洋他（일곱 번째 달 일곱 번째 밤，2021）小西直子，古沢嘉通＝訳／2023・06・30／2640円／東京創元社／幻想短篇アンソロジー (23・10)

シャーロック・ホームズとミスカトニックの怪

ジェイムズ・ラヴグローヴ（Sherlock Holmes and the Miskatonic Monstrosities, 2017）日暮雅通＝訳／2023・07・04／1496円／ハヤカワ文庫FT／クトゥルーパスティーシュ (23・10)

ジョン・ハリス作品集　水平線の彼方

ジョン・ハリス（The Art of John Harris: Beyond the Horizon, 2014）堀口容子＝訳／2023・07・10／2970円／グラフィック社／画集 (23・10)

超新星紀元

劉慈欣（超新星纪元，2003）大森望，光吉さくら，ワン・チャイ＝訳／2023・07・19／2310円／早川書房／ポリティカルSF (23・10)

見ること

ジョゼ・サラマーゴ（Ensaio sobre a Lucidez, 2004）雨沢泰＝訳／2023・07・24／3520円／河出書房新社／パンデミックSF (23・10)

滅ぼす（上・下）

ミシェル・ウエルベック（Anéantir, 2022）野崎歓，齋藤可津子，木内尭＝訳／2023・07・26／上2420円，下2585円／河出書房新社／近未来SF (23・10)

怪獣保護協会

ジョン・スコルジー（The Kaiju Preservation Society, 2022）内田昌之＝訳／2023・08・02／2640円／早川書房／怪獣SF (23・12)

ブラッドベリ『華氏451度』を漫画で読む

レイ・ブラッドベリ＝文・監修，ティム・ハミルトン＝絵（Fahrenheit 451, 2009）宮脇孝雄＝訳／2023・08・05／1760円／いそっぷ社／コミカライズ (23・12)

チク・タク・チク・タク・チク・タク・チク・タク・チク・タク・チク・タク・チク・タク・チク・タク・チク・タク・チク・タク

ジョン・スラデック（Tik-Tok, 1983）鯨井久志＝訳／2023・08・28／1485円／竹書房文庫／ロボットSF (23・12)

君のために鐘は鳴る

王元（喪鐘為你而鳴，2021）玉田誠＝訳／2023・09・12／1980円／文藝春秋／SFミステリ (23・12)

未来省

キム・スタンリー・ロビンスン（The Ministry for the Future, 2020）瀬尾具実子＝訳／2023・09・19／3300円／パーソナルメディア／気候変動SF (23・12)

この世界からは出ていくけれど

キム・チョヨプ（The World We Just Left, 2021）カン・バンファ，ユン・ジヨン＝訳／2023・09・20／2640円／早川書房／SF短篇集 (23・12)

書架の探偵、貸出中

ジーン・ウルフ（Interlibrary Loan, 2020）大谷真弓＝訳／2023・10・02／2420円／新☆ハヤカワ・SF・シリーズ／SFミステリ (24・02)

サイエンス・フィクション大全　映画、文学、芸術で描かれたSFの世界

グリン・モーガン＝編（Science Fiction Voyage to the Edge of Imagination, 2022）石田亜矢子＝訳／2023・10・10／4620円／グラフィック社／ガイドブック (24・02)

夢みる宝石

シオドア・スタージョン（The Dreaming Jewels, 1950）川野太郎＝訳／2023・10・10／1045円／ちくま文庫／幻想冒険譚 (24・02)

ドラキュラ

ブラム・ストーカー（Dracula, 1897）唐戸信嘉＝訳／2023・10・12／1760円／光文社古典新訳文庫／吸血鬼文学 (24・02)

最後のユニコーン　旅立ちのスーズ

ピーター・S・ビーグル（The Way Home, 2023）井辻朱美＝訳／2023・10・18／1408円／ハヤカワ文庫FT／ファンタジイ (24・02)

彷徨える艦隊12　特使船バウンドレス

ジャック・キャンベル（Boundless (The Lost Fleet: Outlands), 2021）月岡小穂＝訳／2023・10・18／1848円／ハヤカワ文庫SF／戦争SF (24・02)

キンドレッド　グラフィック・ノベル版

オクテイヴィア・E・バトラー（Kindred A

ス＝編（日本オリジナル編集）平野清美＝編訳／2023・02・13／2090円／平凡社／SFアンソロジー（23・06）

ガーンズバック変換
陸秋槎（日本オリジナル編集）大久保洋子，稲村文吾，阿井幸作＝訳／2023・02・21／2310円／早川書房／SF短篇集 （23・06）

巡航船〈ヴェネチアの剣〉奪還！

スザンヌ・パーマー（Finder，2019）月岡小穂＝訳／2023・02・21／1760円／ハヤカワ文庫SF／スペースオペラ （23・06）

メアリ・ジキルと怪物淑女たちの欧州旅行Ⅱ　ブダペスト篇
シオドラ・ゴス（European Travel For The Monstr，2018）原島文世＝訳／2023・02・21／2640円／新☆ハヤカワ・SF・シリーズ／冒険SF （23・06）

アメリカへようこそ
マシュー・ベイカー（Why Visit America，2021）田内志文＝訳／2023・03・08／2750円／KADOKAWA／SF短篇集 （23・06）

火星からの来訪者　知られざるレム初期作品集
スタニスワフ・レム（Czlowiek z Marsa，2009）沼野充義，芝田文乃，木原槙子＝訳／2023・03・12／2970円／国書刊行会／SF作品集 （23・06）

終末の訪問者
ポール・トレンブレイ（The Cabin at the End of the World，2022）入間眞＝訳／2023・03・20／1320円／竹書房文庫／終末スリラー （23・06）

ラヴクラフト・カントリー
マット・ラフ（Lovecraft Country，2016）茂木健＝訳／2023・03・20／1760円／創元SF文庫／ホラー・幻想長篇 （23・06）

アトラス６（上・下）
オリヴィー・ブレイク（The Atlas Six，2022）佐田千織＝訳／2023・03・23／各1320円／ハヤカワ文庫FT／SFファンタジー （23・06）

生存の図式
ジェイムズ・ホワイト（The Watch Below，1966）伊藤典夫＝訳／2023・03・30／1100円／創元SF文庫／宇宙SF （23・06）

文明交錯
ローラン・ビネ（Civilizations，2019）橘明美＝訳／2023・03・30／3300円／東京創元社／歴史改変SF （23・08）

ギリシャSF傑作選　ノヴァ・ヘラス
フランチェスカ・T・バルビニ，フランチェスコ・ヴァルソ＝編（Nova Hellas，2021）中村融他＝訳／2023・04・05／1496円／竹書房文庫／SFアンソロジー （23・08）

デューン　砂漠の救世主〔新訳版〕（上・下）
フランク・ハーバート（Dune Messiah，1969）酒井昭伸＝訳／2023・04・15／各840円／ハヤカワ文庫SF／宇宙SF （23・08）

エクトール・セルヴァダック　ジュール・ヴェルヌ〈驚異の旅〉コレクション
ジュール・ヴェルヌ（Hector Servadac，1877）石橋正孝＝訳／2023・04・21／5720円／インスクリプト／宇宙SF （23・08）

鏖戦《おうせん》／凍月《いてづき》
グレッグ・ベア（Hardfought / Heads，1983/1990）酒井昭伸，小野田和子＝訳／2023・04・25／3190円／早川書房／宇宙SF （23・08）

吹雪
ウラジーミル・ソローキン（Метель，2010）松下隆志＝訳／2023・05・20／3190円／河出書房新社／ロードノベル （23・08）

鋼鉄紅女
シーラン・ジェイ・ジャオ（Iron Widow，2021）中原尚哉＝訳／2023・05・23／1650円／ハヤカワ文庫SF／アクションSF （23・08）

オレンジ色の世界
カレン・ラッセル（Orange World and Other Stories, 2019）松田青子＝訳／2023・05・25／3080円／河出書房新社／SF短篇集 （23・08）

どれほど似ているか
キム・ボヨン（얼마나 닮았는가，2020）斎藤真理子＝訳／2023・05・25／2530円／河出書房新社／SF短篇集 （23・08）

フランケンシュタインの工場
エドワード・D・ホック（The Frankenstein Factory，1975）宮澤洋司＝訳／2023・05・27／2860円／国書刊行会／SFミステリ （23・08）

夜の潜水艦
陳春成（夜晚的潜水艇，2020）大久保洋子＝訳／2023・05・27／2420円／アストラハウス／幻想短篇集 （23・08）

キヴォーキアン先生、あなたに神のお恵みを
カート・ヴォネガット（God Bless You，Dr. Kevorkian，1999）浅倉久志，大森望＝訳／2023・05・29／2420円／早川書房／架空インタビュー集 （23・08）

ブレーキング・デイ　―減速の日―
アダム・オイェバンジ（Braking Day，2022）金子司＝訳／2023・06・06／1496円／ハヤカワ文庫SF／宇宙SF （23・10）

ダーウィン・ヤング　悪の起源
パク・チリ（다윈 영의 악의 기원，2016）コン・

エヴァーラスティング・ノア　この残酷な世界で一人の死体人形を愛する少年の危険性について
高橋びすい／文庫／2023・09・25／792円／MF文庫Ｊ／ミリタリーSF　(23・12)
誰が勇者を殺したか
駄犬／2023・09・29／748円／角川スニーカー文庫／ファンタジイミステリ
帝国第１１前線基地魔導図書館、ただいま開館中
佐伯庸介／2023・10・18／858円／小学館ガガガ文庫／魔法ファンタジイ

OVERSEAS
2023年度
SF関連書籍目録

グレイス・イヤー　少女たちの聖域
キム・リゲット（The Grace Year, 2019）堀江里美＝訳／2022・11・16／2200円／早川書房／フェミニズムSF　(23・02)
時ありて
イアン・マクドナルド（Time Was, 2018）下楠昌哉＝訳／2022・11・16／2200円／早川書房／時間SF　(23・02)
マシンフッド宣言（上・下）
S・B・ディヴィヤ（Machinehood, 2021）金子浩＝訳／2022・11・16／各1320円／ハヤカワ文庫SF／近未来SF　(23・02)
サイボーグになる　テクノロジーと障害、わたしたちの不完全さについて
キム・チョヨプ，キム・ウォニョン（사이보그가 되다 – 김초엽，2021）牧野美加＝訳／2022・11・21／2970円／岩波書店／エッセイ集　(23・02)
惑う星
リチャード・パワーズ（Bewilderment, 2021）木原善彦＝訳／2022・11・30／3410円／新潮社／宇宙開発SF　(23・04)
フォワード　未来を視る６つのSF
ブレイク・クラウチ，ベロニカ・ロス編（Forward, 2022）東野さやか他＝訳／2022・12・06／1364円／ハヤカワ文庫SF／SFアンソロジー　(23・04)
AI 2041　人工知能が変える20年後の未来
カイフー・リー，チェン・チウファン（AI 2041 Ten Visions for Our Future, 2021）中原尚哉＝訳／2022・12・08／2970円／文藝春秋／SF短篇集　(23・04)
SFの気恥ずかしさ
トマス・M・ディッシュ（On SF, 2005）浅倉久志，小島はな＝訳／2022・12・16／4620円／国書刊行会／SF評論　(23・04)
三体0《ゼロ》　球状閃電《きゅうじょうせんでん》
劉慈欣（球状闪电，2004）大森望，光吉さくら，ワン・チャイ＝訳／2022・12・21／2200円／早川書房／中国SF　(23・04)
吸血鬼は夜恋をする　SF&ファンタジイ・ショートショート傑作選
R・F・ヤング，R・マシスン他（日本オリジナル編集）伊藤典夫＝編訳／2022・12・26／1100円／創元SF文庫／SFアンソロジー　(23・04)
誰？
アルジス・バドリス（Who?, 1958）柿沼瑛子＝訳／2022・12・27／2530円／国書刊行会／SFスリラー　(23・04)
蘇りし銃
ユーン・ハ・リー（Revenant Gun, 2018）赤尾秀子＝訳／2023・01・11／1650円／創元SF文庫／宇宙SF　(23・04)
インヴェンション・オブ・サウンド
チャック・パラニューク（The Invention of Sound, 2020）池田真紀子＝訳／2023・01・24／2420円／早川書房／カルト・ホラー　(23・04)
地球の果ての温室で
キム・チョヨプ（지구 끝의 온실，2021）カン・バンファ＝訳／2023・01・24／2200円／早川書房／ポストアポカリプスSF　(23・04)
ミッキー7
エドワード・アシュトン（MICKEY7, 2022）大谷真弓＝訳／2023・01・24／1210円／ハヤカワ文庫SF／クローンSF　(23・04)
メアリ・ジキルと怪物淑女たちの欧州旅行Ｉ　ウィーン篇
シオドラ・ゴス（European Travel for The European Travel for the Monstrous Gentlewoman, 2018）原島文世＝訳／2023・01・24／2640円／新☆ハヤカワ・SF・シリーズ／冒険SF　(23・04)
輝石の空
N・K・ジェミシン（The Stone Sky, 2017）小野田和子＝訳／2023・02・13／1650円／創元SF文庫／ファンタジーSF　(23・06)
チェコSF短編小説集２
ヤロスラフ・オルシャ・jr.，ズデニェク・ランパ

EVE　世界の終わりの青い花
佐原一可／文庫／2022・11・01／715円／HJ文庫／宇宙SF　(23・02)

デモンズ・クレスト1　現実∽侵食
川原礫／文庫／2022・11・10／726円／電撃文庫／デスゲーム　(23・02)

竜の姫ブリュンヒルド
東崎惟子／文庫／2022・11・10／726円／電撃文庫／王国ファンタジイ　(23・02)

竜愛づる騎士の誓約（上・下）
喜咲冬子／文庫／2022・11・18／各792円／集英社オレンジ文庫／王国ファンタジイ　(23・02)

死亡遊戯で飯を食う。（1・2）
鵜飼有志／文庫／①2022・11・25，②2023・1・25／①682円，②704円／MF文庫J／デスゲーム　(23・04)

腕を失くした璃々栖　明治悪魔祓師異譚
明治サブ／文庫／2022・12・01／770円／角川スニーカー文庫／歴史ファンタジイ　(23・04)

ブレイド&バスタード　灰は暖かく、迷宮は仄暗い
蝸牛くも／2022・12・09／1430円／DREノベルス／ダークファンタジイ　(23・04)

Mother D.O.G
蘇之一行／文庫／2023・01・07／748円／電撃文庫／ダークファンタジイ　(23・04)

ステラ・ステップ
林星悟／文庫／2023・01・25／726円／MF文庫J／ディストピア小説　(23・04)

勇者症候群
彩月レイ／文庫／2023・02・10／748円／電撃文庫／アクションファンタジイ　(23・06)

ミリは猫の瞳のなかに住んでいる
四季大雅／文庫／2023・03・10／748円／電撃文庫／SFミステリ　(23・06)

時かけラジオ　鎌倉なみおとFMの奇跡
成田名璃子／文庫／2023・03・23／748円／KADOKAWA／時間SF　(23・06)

星の航海者1　遠い旅人
笹本祐一／文庫／2023・03・30／902円／創元SF文庫／宇宙SF　(23・06)

30ページでループする。そして君を死の運命から救う。

秋傘水稀／文庫／2023・04・07／770円／電撃文庫／青春ミステリ　(23・08)

蜘蛛と制服
入江君人／文庫／2023・04・20／726円／ファンタジイア文庫／異世界転生　(23・08)

過去を喰らう（I am here）beyond you.
人間六度／2023・04・25／1045円／一迅社／AI小説　(23・08)

芥子はミツバチを抱き
藍内友紀／2023・04・26／2200円／KADOKAWA／バイオSF　(23・08)

トゥモロー・ネヴァー・ノウズ
宮野優／2023・04・28／1980円／KADOKAWA／時間SF　(23・08)

ブラックロッド[全]
古橋秀之／2023・05・16／3850円／GoRA／WiZH／サイバーパンク　(23・08)

サエズリ図書館のワルツさん（1・2）
紅玉いづき／文庫／①2023・05・31，②2023・6・30／各858円／創元推理文庫／SFファンタジイ　(23・10)

モスクワ2160
蝸牛くも／文庫／2023・06・03／704円／SBクリエイティブ／アクションSF　(23・10)

いつか憧れたキャラクターは現在使われておりません。

詠井晴佳／文庫／2023・07・19／858円／小学館ガガガ文庫／VRSF　(23・10)

魔王都市　ー空白の玉座と七柱の偽王ー
ロケット商会／文庫／2023・07・19／935円／小学館ガガガ文庫／王国ファンタジイ　(23・10)

TS衛生兵さんの戦場日記
まさきたま／2023・07・28／1430円／KADOKAWA／転生小説　(23・10)

ウィザーズ・ブレインX　光の空
三枝零一／文庫／2023・09・08／836円／電撃文庫／近未来アクション　(23・12)

飯楽園《メシトピア》　崩食ソサイエティ
和ヶ原聡司／文庫／2023・09・08／770円／電撃文庫／ディストピアSF　(23・12)

私は命の縷々々々々々
青島もうじき／2023・09・13／1485円／星海社FICTIONS／恋愛SFミステリ　(23・12)

JA／宇宙SF　(23・10)
グラーフ・ツェッペリン　あの夏の飛行船
高野史緒／2023・07・19／1034円／ハヤカワ文庫JA／青春SF　(23・10)
ザイオン・イン・ジ・オクトモーフ　イシュタルの虜囚、ネルガルの罠
伊野隆之／2023・07・28／2530円／書苑新社／冒険SF　(23・12)
未来の「奇縁」はヴァースを超えて　「出会い」と「コラボレーション」の未来をSFプロトタイピング
藤井太洋、高山羽根子他／2023・07・28／2400円／プレジデント社／SFプロトタイピング (24・02)
黄金蝶を追って
相川英輔／2023・07・31／990円／竹書房文庫／SF短篇集　(23・12)
障害報告　システム不具合により、内閣総理大臣が40万人に激増した事象について
長谷川京／2023・07・31／660円／anon press／メタバースSF　(24・02)
八月の御所グラウンド
万城目学／2023・08・03／1760円／文藝春秋／京都ファンタジイ中篇集　(23・12)
奇病庭園
川野芽生／2023・08・04／2200円／文藝春秋／幻想小説　(23・12)
惑星まほろば
太田忠司／2023・08・13／2500円／書肆盛林堂／ショートショート連作集　(24・02)
コスタ・コンコルディア　工作艦明石の孤独　外伝
林譲治／2023・08・17／1188円／ハヤカワ文庫JA／宇宙SF　(23・12)
沈没船で眠りたい
新馬場新／2023・08・18／1925円／双葉社／シスターフッドSF　(23・12)
ヘルメス
山田宗樹／2023・08・21／2090円／中央公論新社／終末SF　(23・12)
ラウリ・クースクを探して
宮内悠介／2023・08・21／1760円／朝日新聞出版／プログラミング小説　(24・02)
大阪SFアンソロジー　OSAKA2045
正井＝編／2023・08・31／1650円／Kaguya Books／SFアンソロジー　(23・12)
京都SFアンソロジー　ここに浮かぶ景色
井上彼方＝編／2023・08・31／1650円／Kaguya Books／SFアンソロジー　(23・12)
甲府物語
飯野文彦／2023・09・01／2200円／SFユースティティア／幻想短篇集　(23・12)
ドードー鳥と孤独鳥
川端裕人／2023・09・17／2970円／国書刊行会／絶滅SF　(23・12)
ウは宇宙ヤバイのウ！〔新版〕
宮澤伊織／2023・09・20／968円／ハヤカワ文庫JA／宇宙SF　(23・12)
本の背骨が最後に残る
斜線堂有紀／2023・09・21／1870円／光文社／奇想短篇集　(23・12)
水都眩光《すいとげんこう》　幻想短篇アンソロジー
高原英理、マーサ・ナカムラ、大木芙沙子、石沢麻依、沼田真佑、坂崎かおる、大濱普美子、吉村萬壱、谷崎由依／2023・09・25／2530円／文藝春秋／幻想アンソロジー　(24・02)
エレファントヘッド
白井智之／2023・09・26／2145円／KADOKAWA／SFミステリ　(24・02)
夢に追われて
朝比奈弘治／2023・09・27／2640円／作品社／奇想小説集　(24・02)
最果ての泥徒《ゴーレム》
高丘哲次／2023・09・29／2310円／新潮社／改変歴史小説　(23・12)
金星の蟲
酉島伝法／2023・10・18／1386円／ハヤカワ文庫JA／SF短篇集　(24・02)
幽玄F
佐藤究／2023・10・19／1870円／河出書房新社／航空小説　(24・02)
唐木田《からきだ》探偵社の物理的対応
似鳥鶏／2023・10・20／1870円／KADOKAWA／怪異アクション　(24・02)
宙《そら》わたる教室
伊与原新／2023・10・20／1760円／文藝春秋／青春SF　(24・02)
梟《ふくろう》の胎動
福田和代／2023・10・20／660円／集英社文庫／忍者バトルSF　(24・02)
ときときチャンネル　宇宙飲んでみた
宮澤伊織／2023・10・31／1870円／創元日本SF叢書／配信者SF　(24・02)

回樹《かいじゅ》
斜線堂有紀／2023・03・23／1760円／早川書房／SF短篇集　(23・06)
世界警察４　悠久のフロスティグレイ
沢村鐵／2023・03・23／1012円／中公文庫／改変歴史SF　(23・06)
走馬灯交差点
西澤保彦／2023・03・24／1980円／集英社／特殊設定ミステリ　(23・06)
マイ・リトル・ヒーロー
冲方丁／2023・03・24／2090円／文藝春秋／ゲームSF　(23・06)
ありふれた金庫
北野勇作／2023・03・29／1210円／ネコノス文庫／マイクロノベル集　(23・08)
NOVA　2023年夏号
大森望＝編／2023・04・05／1320円／河出文庫／女性SF作家アンソロジー　(23・08)
LOG-WORLD
八杉将司／2023・04・11／2860円／SFユースティティア／改変歴史SF　(23・08)
こんとんの居場所
山野辺太郎／2023・04・19／2090円／国書刊行会／生物SF　(23・08)
八杉将司短編集　ハルシネーション
八杉将司／2023・04・22／800円／SFユースティティア／SF短篇集　(23・08)
WALL
周木律／2023・04・24／924円／角川文庫／パニックSF　(23・08)
アブソルート・コールド
結城充考／2023・04・25／2420円／早川書房／サイバーパンク小説　(23・08)
工作艦明石の孤独４
林譲治／2023・04・25／1100円／ハヤカワ文庫JA／宇宙SF　(23・08)
納戸のスナイパー
北野勇作／2023・04・26／1210円／ネコノス文庫／マイクロノベル集　(23・08)
ヨモツイクサ
知念実希人／2023・05・17／1848円／双葉社／バイオSFホラー　(23・08)
AIとSF
日本SF作家クラブ＝編／2023・05・23／1452円／ハヤカワ文庫JA／SFアンソロジー　(23・08)
サイケデリック・マウンテン
榎本憲男／2023・05・23／2530円／早川書房／近未来サスペンス　(23・08)
マルドゥック・アノニマス８
冲方丁／2023・05・23／990円／ハヤカワ文庫JA／SFアクション　(23・08)
時を追う者
佐々木譲／2023・05・24／1980円／光文社／時間SF　(23・08)
ねこラジオ
北野勇作／2023・05・24／1210円／ネコノス文庫／マイクロノベル集　(23・08)
環境省武装機動隊EDRA
斉藤詠一／2023・05・25／1980円／実業之日本社／近未来ミステリ　(23・08)
仮面物語　或は鏡の王国の記
山尾悠子／2023・05・26／3960円／国書刊行会／都市SF　(23・08)
空想の海
深緑野分／2023・05・26／1815円／KADOKAWA／SF短篇集　(23・10)
わたしたちの怪獣
久永実木彦／2023・05・31／1980円／創元日本SF叢書／怪獣SF　(23・08)
あなたは月面に倒れている
倉田タカシ／2023・06・19／2090円／創元日本SF叢書／SF短篇集　(23・10)
ツインスター・サイクロン・ランナウェイ３
小川一水／2023・06・20／1034円／ハヤカワ文庫JA／宇宙百合SF　(23・10)
アリアドネの声
井上真偽／2023・06・21／1760円／幻冬舎／災害SF　(23・10)
オーグメンテッド・スカイ
藤井太洋／2023・06・22／2090円／文藝春秋／青春SF　(23・10)
この夏の星を見る
辻村深月／2023・06・30／2090円／KADOKAWA／青春SF　(23・10)
ノウイットオール　あなただけが知っている
森バジル／2023・07・05／1760円／文藝春秋／青春SF　(23・10)
ドライブイン・真夜中
高山羽根子／2023・07・07／990円／U-NEXT／ディストピア小説　(23・10)
無限の月
須藤古都離／2023・07・12／1925円／講談社／パラレルワールドSF　(23・10)
禍《わざわい》
小田雅久仁／2023・07・12／1870円／新潮社／SFホラー　(23・10)
オーラリメイカー〔完全版〕
春暮康一／2023・07・19／1320円／ハヤカワ文庫

JAPAN

2023年度 SF関連書籍目録

青木きららのちょっとした冒険
藤野可織／2022・11・10／1760円／講談社／フェミニズム短篇集 (23・02)

走馬灯のセトリは考えておいて
柴田勝家／2022・11・16／924円／ハヤカワ文庫JA／終活SF (23・02)

バイオスフィア不動産
周藤蓮／2022・11・16／1078円／ハヤカワ文庫JA／SFミステリ (23・02)

十二月の辞書
早瀬耕／2022・11・18／1980円／小学館／AI恋愛小説 (23・02)

カラスは言った
渡辺優／2022・11・21／1870円／中央公論新社／ロードノベルSF (23・02)

君の教室が永遠の眠りにつくまで
鵺野莉紗／2022・12・06／1870円／KADOKAWA／ホラーSFミステリ (23・04)

アナベル・アノマリー
谷口裕貴／2022・12・08／1210円／徳間文庫／超能力SF (23・04)

シュレーディンガーの少女
松崎有理／2022・12・12／946円／創元SF文庫／ディストピアSF短篇集 (23・04)

殲滅特区の静寂　警察庁怪獣捜査官
大倉崇裕／2022・12・12／1980円／二見書房／改変歴史ミステリ (23・04)

南海《みなみ》ちゃんの新しいお仕事　階段落ち人生
新井素子／2022・12・15／1980円／角川春樹事務所／超能力SF (23・04)

ワンダーランド急行
荻原浩／2022・12・17／2090円／日本経済新聞出版／並行世界小説 (23・04)

花と機械とゲシタルト
山野浩一／2022・12・26／3080円／小鳥遊書房／仮想空間SF (23・04)

ボス／ベイカー
上田未来／2023・01・19／1848円／双葉社／並行世界小説 (23・04)

工作艦明石の孤独３
林譲治／2023・01・24／1078円／ハヤカワ文庫JA／宇宙SF (23・04)

標本作家
小川楽喜／2023・01・24／2530円／早川書房／終末SF (23・04)

令和その他のレイワにおける健全な反逆に関する架空六法
新川帆立／2023・01・26／1815円／集英社／リーガルSF (23・04)

小樽湊殺人事件
荒巻義雄／2023・01・30／2970円／小鳥遊書房／メタミステリ (23・06)

水溶性のダンス
河野咲子／2023・02・10／385円／ゲンロンSF文庫／幻想SF (23・06)

秘伝隠岐七番歌合
田場狩／2023・02・10／385円／ゲンロンSF文庫／改変歴史小説 (23・06)

憂鬱探偵
田丸雅智／2023・02・17／1430円／ワニブックス／ショートショート集 (23・06)

ダイダロス
塩崎ツトム／2023・02・21／2420円／早川書房／陰謀論SF (23・04)

星くずの殺人
桃野雑派／2023・02・22／1870円／講談社／SFミステリ (23・06)

腿太郎伝説　〈人呼んで、腿伝〉
深堀骨／2023・02・24／2090円／左右社／パロディ小説 (23・06)

ギフトライフ
古川真人／2023・03・01／1980円／新潮社／ディストピアSF (23・06)

「これから何が起こるのか」を知るための教養SF超入門
冬木糸一／2023・03・01／1980円／ダイヤモンド社／SFガイドブック (23・06)

破壊された遊園地のエスキース
青島もうじき／2023・03・05／660円／anon press／SF短篇集 (24・02)

現代SF小説ガイドブック　可能性の文学
池澤春菜／2023・03・08／1980円／Pヴァイン／SF小説ガイド (23・06)

ゴリラ裁判の日
須藤古都離／2023・03・15／1925円／講談社／奇想小説 (23・06)

2023年度
SF関連書籍目録

◆2022年11月1日〜2023年10月31日までに刊行されたSF関連書籍のなかから、SFマガジン書評欄「SFブックスコープ」で取り上げた作品を、ジャンル別にわけ、刊行順に掲載しました。

◆記載データは以下のとおり。

◆国内作品：書名／著者名／判型／発行年月日／本体価格／版元／解説、シリーズ名、他。データ末尾（　）内は、SFマガジン書評掲載号。

◆海外作品：書名／著者名／原題、原著発行年／翻訳者名／判型／発行年月日／本体価格／版元／解説、シリーズ名、他。データ末尾（　）内は、SFマガジン書評掲載号。

イーロン・マスクとか テック系起業家が ＳＦ小説を読んで仕事に 活かしてるみたいな話から
教養として読める ＳＦを紹介している本だ
SF
冬木糸一
「これから何が起こるのか」を知るための教
超入門
ダイヤモンド社
ほう イーロンかー
という ことは…
ＳＦを読めば イーロン・マスク のように成功 できるとか
呑気なこと 思ってないか？
まさか
むしろ 呑気の逆
切実
切実？
ＳＦが ある限り
第二第三のイーロンは 生まれてしまうのか…
ＳＦが 諸悪の根源 みたいな言い方 するな

編集後記

◆2024年は元旦から甚大な天災が起こってしまいました。能登半島地震により犠牲となられた方々の御冥福をお祈りするとともに、被災されたすべての皆様に心よりお見舞いを申し上げます。本誌を編集しているいまも余震の報が続いていますが、被災地域の一日も早い復旧・復興をお祈り申し上げます。

◆2023年のベストＳＦランキングについて。国内篇は短篇集の豊作が目立つなかで高野史緒氏が渾身の長篇で初の首位を獲得。海外篇では若き翻訳家の持ち込み企画から、ジョン・スラデックによる1983年の怪作が日の目を見ました。もちろんいかなる本もその著者や編集者、出版にかかわるすべての方々の情熱によって世に出るものですが、作り手の熱量というのはやっぱり読み手にも伝わるものだと改めて信じられるような結果になったように感じています。

◆各出版社による本年のＳＦ書籍の刊行予定はp108にて。早川書房からは国内では第11回ハヤカワＳＦコンテスト大賞の矢野アロウ『ホライズン・ゲート　事象の狩人』が昨年末に刊行となりましたので、未読の方はそちらをぜひ。〈ＳＦマガジン〉２月号に全文掲載されて話題沸騰中の特別賞「ここはすべての夜明けまえ」も３月に刊行予定です。海外の注目トピックは何よりまず、この２月21日（水）から発売開始の『三体』文庫化でしょう。あわせてNetflix版のドラマ化も３月21日（木）より配信開始、この大作はいったいどこまで広がり続けるのか。

SFが読みたい！ 2024年版

2024年2月10日　初版印刷
2024年2月15日　初版発行

編　者　SFマガジン編集部
発行者　早川　浩
発行所　株式会社早川書房
〒101-0046東京都千代田区神田多町2-2
電話　03-3252-3111
振替　00160-3-47799
https://www.hayakawa-online.co.jp
印刷所　精文堂印刷株式会社
製本所　株式会社フォーネット社

ISBN978-4-15-210306-2 C0090